SELECTIONS
FROM ERASMUS

PRINCIPALLY FROM HIS EPISTLES

BY

P. S. ALLEN

SECOND EDITION

College Classical Series
ARISTIDE D. CARATZAS, PUBLISHER
NEW ROCHELLE, NEW YORK
1983

A reprint of the 1918 edition
published by Oxford University Press

This edition published by
Aristide D. Caratzas, Publisher
Caratzas Publishing Co., Inc.
481 Main Street (P.O. Box 210)
New Rochelle, New York 10802

ISBN 0-89241-116-3 (paper); 0-89241-361-1 (cloth)

PREFACE

The selections in this volume are taken mainly from the Letters of Erasmus. Latin was to him a living language; and the easy straightforwardness with which he addresses himself to what he has to say, whether in narrating the events of every-day life or in developing more serious themes, makes his works suitable reading for beginners. To the rapidity with which he invariably wrote is due a certain laxity, principally in the use of moods and tenses; and his spelling is that of the Renaissance. These matters I have brought to some extent into conformity with classical usage; and in a few other ways also I have taken necessary liberties with the text.

In the choice of passages I have been guided for the most part by a desire to illustrate through them English life at a period of exceptional interest in our history. There has never been wanting a succession of persons who concerned themselves to chronicle the deeds of kings and the fortunes of war; but history only becomes intelligible when we can place these exalted events in their right setting by understanding what men both small and great were doing and thinking in their private lives. To Erasmus we owe much intimate knowledge of the age in which he lived; and of none of his contemporaries has he given us more vivid pictures than of the great Englishmen, Henry VIII,

Colet, More, and many others, whom he delighted to claim as friends.

With this purpose in view I have thought it best to confine the historical commentary within a narrow compass in the scenes which are not drawn from England ; and to leave unillustrated many distinguished names, due appreciation of which would have overloaded the notes and confused the reader.

The vocabulary is intended to include all words not to be found in Dr. Lewis's *Elementary Latin Dictionary,* with the exception of (1) those which with the necessary modification have become English, (2) classical words used for modern counterparts without possibility of confusion, e. g. *templum* for *church* ; (3) diminutives—a mode of expression which both Erasmus and modern writers use very freely—as to the origin of which there can be no doubt.

Mr. Kenneth Forbes of St. John's College has kindly gone through the whole of the text with me, and has given me the benefit of his long experience as a teacher. I am also obliged to him for most valuable assistance in the preparation of the notes.

LONGWALL COTTAGE, OXFORD.   June 1908.

In a second edition I have been able to incorporate a few of the corrections and suggestions made by reviewers and friends.   My thanks are especially due to the Warden of Wadham and to Mr. Hugo Sharpley, head master of Richmond Grammar School, Yorks.

23 MERTON STREET, OXFORD.   June 1, 1918.

CONTENTS

PAGE

LIFE OF ERASMUS 7

I. AN ORDINATION EXAMINATION . . 17

II. A DOMESTIC AFFRAY (55 : 47) . . 18

III. A WINTER JOURNEY (88 : 82) . . 20

IV. AN ENGLISH COUNTRY-HOUSE (103 : 98) 23

V. A VISIT TO COURT (I. p. 6 : i. p. 201) . 24

VI. ERASMUS AT OXFORD (115 : 104) . . 25

VII. AN OXFORD DINNER PARTY (116 : 105). 26

VIII. LEARNING IN ENGLAND (118 : 110). . 31

IX. A JOURNEY TO PARIS (119 : 122). . 32

X. ERASMUS RENDERS ACCOUNT OF HIMSELF
TO COLET (181 : 180) 41

XI. A VISIT TO LAMBETH (I. pp. 4–5 : i.
p. 393) 45

XII. A LETTER TO ALDUS (207 : 204) . . 47

(Of the figures in brackets, the first give the references to my *Opus Epistolarum Erasmi*, the second to the late Mr. F. M. Nichols' *Epistles of Erasmus*.)

XIII. An Interview with Grimani (:
    i. p. 461) 49

XIV. A Conversation at Cambridge (237 :
    231) 52

XV. An Encounter with Canossa . . 52

XVI. Erasmus' Apologia pro Vita Sua (296 :
    290) 55

XVII. Erasmus' Reception at Basel (305 :
    298) 64

XVIII. Bishop Fisher (457 : 446) . . . 66

XIX. A Journey from Basel to Louvain
    (867 :) 68

XX. English Universities (965 :) . 78

XXI. An Explosion at Basel . . . 79

XXII. Archbishop Warham. I . . . 83

XXIII. Archbishop Warham. II . . . 87

XXIV. The Lives of Vitrarius and Colet . 89

XXV. Colet and his Kinsman . . . 112

XXVI. Thomas More (: 585 b) . . 113

XXVII. A Dishonest Londoner . . . 125

XXVIII. The Condition of English Houses . 126

XXIX. Fisher's Study at Rochester . . 128

Notes 129

Vocabulary 158

List of Place-Names 160

LIFE OF ERASMUS

ERASMUS of Rotterdam was born on October 27, probably in 1466. His father belonged to Gouda, a little town near Rotterdam, and after some schooling there and an interval during which he was a chorister in Utrecht Cathedral, Erasmus was sent to Deventer, to the principal school in the town, which was attached to St. Lebuin's Church. The renewed interest in classical learning which had begun in Italy in the fourteenth century had as yet been scarcely felt in Northern Europe, and education was still dominated by the requirements of Philosophy and Theology, which were regarded as the highest branches of knowledge. A very high degree of subtlety in thought and argument had been reached, and in order that the youthful student might be fitted to enter this arena, it was necessary that he should be trained from the outset in its requirements. In the schools, in consequence, little attention was paid to the form in which thought was expressed, provided that the thought was correct : in marked contrast to the classical ideal, which emphasized the importance of expression, in just appreciation of the fact that thought expressed in obscure or inadequate words, fails to reach the human mind. The mediaeval position had been the outcome of a reaction against the spirit of later classical times, which had sacrificed matter to form. And now the pendulum was swinging back again in a new attempt to adjust the rival claims.

The education which Erasmus received at Deventer

was still in thraldom to the mediaeval ideal. Greek was practically unknown, and in Latin all that was required of the student was a sufficient mastery of the rudiments of grammar to enable him to express somehow the distinctions and refinements of thought for which he was being trained. Niceties of scholarship and amplitude of vocabulary were unnecessary to him and were disregarded. From a material point of view also education was hampered. Printing was only just beginning, and there were few, if any, schoolbooks to be had. Lectures and lessons still justified their name 'readings'; for the boys sat in class crowded round their master, diligently copying down the words that fell from his lips, whether he were dictating a chapter in grammar, with its rules of accidence and syntax, or at a later stage a passage from a Latin author with his own or the traditional comments. Their canon of the classics was widely different from ours; instead of the simplified Caesar or Ovid that is now set before the schoolboy, Terence occupied a principal position, being of the first importance to an age when the learned still spoke Latin. Portions of the historians were read, for their worldly wisdom rather than for their history; Pliny the Elder for his natural science, and Boethius for his mathematics; and for poetry Cato's moral distiches and Baptista of Mantua, 'the Christian Vergil.'

In this atmosphere Erasmus's early years were spent; but from some of his masters he caught the breath of the new life that came from Italy, and this he never lost. By 1485, shortly after he had left Deventer, both his parents were dead, and a few years later he was persuaded to enter the monastery of Steyn, near Gouda, a house of Augustinian canons. The life there was uncongenial to him; for though he had leisure to read as much as he liked, his temperament was not

suited to the precision and regularity of religious ob-
servance. An opportunity for escape presented itself,
when the Bishop of Cambray, a powerful ecclesiastic,
was inquiring for a Latin secretary. Erasmus, who
had already become very facile with his pen, obtained
the post and for a year or more discharged its duties.

At length in 1495 he persuaded the Bishop to fulfil
a desire which he had long cherished, and send him
with a stipend to a University. He went to Paris and
began reading for a Doctor's degree in Theology.
But the course was too cramping, and he therefore
used his opportunity to educate himself more widely ;
eking out the Bishop's grant by taking pupils. It was
a hard life, and his health was delicate ; but he did not
flinch from his task, doing just enough paid work—
and no more—to keep himself alive and to buy books.
In 1499 one of his pupils, a young Englishman, Lord
Mountjoy, brought him to England for a visit, and in
the autumn sent him for a month or two to Oxford.
There he fell in with Colet, a man of strong character
and intellect, who was giving a new impulse to the
study of the Bible by historical treatment. Colet's
enthusiasm encouraged Erasmus in the direction to
which he was already inclined ; and when he returned
to Paris in 1500, it was with the determination to
apply his whole energy to classical learning, and
especially to the study of Theology, which in the new
world opening before him was still to be the queen of
sciences. For the next four years he was working hard,
teaching himself Greek and reading whatever he could
find, at Paris or, when the plague drove him thence,
at Orleans or Louvain. By 1504 his period of preparation was over, and the fruitful season succeeded. His
first venture in Theology was to print in 1505 some
annotations on the New Testament by Lorenzo Valla,

an Italian humanist of the fifteenth century with whose
critical temperament he was much in sympathy.

Shortly afterwards a visit to England brought him
what he had long desired—an opportunity of going to
Italy. He set out in June 1506, as supervisor of the
studies of two boys, the sons of Henry VII's physician.
After taking the degree of D.D. at Turin in September
he settled down at Bologna with his charges and worked
at a book which he had had in hand for some years,
and of which he had already published a specimen in
1500. To this book, the *Adagia*, he owed the great
fame which he obtained throughout Europe, before
any of the works on which his reputation now rests
had been published. Its scheme was a collection of
proverbial sayings and allusions, which he illustrated
and explained in such a way as to make them useful
to those who desired to study the classics and to write
elegant Latin. In these days of lexicons and dictionaries
the value of the *Adagia* has passed away ; but to an
age which placed a high value on Latinity and which
had little apparatus to use, the book was a great
acquisition. It was welcomed with enthusiasm when
Aldus published it at Venice in 1508: and throughout
his life Erasmus brought out edition after edition,
amplifying and enlarging a book which the public was
always ready to buy.

From Venice Erasmus went on to Rome, where he had
a flattering reception, and, though a northerner, was
recognized as an equal by the humanists of Italy.   He
was pressed to stay, but the death of Henry VII brought
him an invitation to return to England, in the names
of Warham, Archbishop of Canterbury, and his old
patron Mountjoy, who was loud in his praises of the
'divine' young king.

As he rode hastily northwards, his active brain fell

to composing a satire on the life he saw around him. He was a quick observer, and his personal charm had won him admission to the halls of the great; whilst bitter experience had shown him the life of the poor and needy. His satire, *The Praise of Folly*, cuts with no gentle hand into the deceits to which human frailty is prone and lays bare their nakedness. High and low, rich and poor, suffer alike, as Folly makes merry over them. There was much in the life of the age which called for censure, as there had been in the past and was to be in the future. On untrained lips censure easily degenerates into abuse and loses its sting: Erasmus with his gifts of humour and expression caught the public ear and set men thinking.

In England, where he spent the next years, 1509-14, Erasmus began the great work of his life, an edition of the New Testament and of the Letters of Jerome. His time was spent between Cambridge and London, and his friends did what they could for his support. Warham presented him with a living—Aldington in Kent—and then as Erasmus could not reside and discharge the duties of a parish priest, allowed him to resign and draw a pension from the living—in violation of his own strict regulation. Mountjoy gave him another pension, and Fisher, Bishop of Rochester, sent him to Cambridge and gave him rooms in Queens' College. For a time he held the Professorship of Divinity founded in Cambridge, as in Oxford, by the Lady Margaret Tudor, mother of Henry VII. But teaching was not his gift. Others might inspire students from the teacher's chair: his talent could only enlighten the teacher through his books.

At length the time came to publish. By fortunate accident, if not by design, he came into relations with John Froben of Basel, who with the three sons of his late partner, John Amorbach, was printing works of sound learning with all his energy—especially the Fathers. In July 1514 Erasmus set forth, and after a triumphal progress through Germany, fêted and welcomed everywhere, he settled at Basel to see Jerome and the New Testament through the press. By 1516 they were complete, and Erasmus had achieved— almost by an afterthought, for his first project had been a series of annotations like Valla's—the work which has made his name great.

Mark Pattison says of Erasmus that he propounded the problem of critical scholarship, but himself did nothing to solve it. By critical scholarship is meant the examination of the grounds on which learning rests. In youth we are uncritical, and accept as Caesar or Livy the books from which we read those authors; but with growing experience we learn that a copy is not always a true representation of its original; and with this, even though there is little perception of the changes and chances through which manuscripts have passed, the first lesson of criticism has been learnt.

The problem may be stated thus—In no single case does an autograph manuscript of a classical author survive: for our knowledge of the works of the past we are dependent on manuscripts written at a later date. Only rarely is there less than 300 years' interval between an author's death and the earliest manuscript now extant of his works; in a great many cases 1,000 years have elapsed, and in the extreme— Sophocles and Aristophanes—1,400. The question therefore arises, How far do our manuscripts represent what was originally written? and it is the work of scholars to compare together existing manuscripts, to estimate their relative value, and where they differ, to determine, if possible, what the author actually wrote.

The manuscripts of the New Testament which scholars have examined and collated are now numbered by hundreds. Erasmus was content for his first edition with two lent to him by Colet from the library of St. Paul's Cathedral, and a few of little value which he found at Basel. And though for subsequent editions he compared one or two more, the work never reached a high standard of scholarship. He had done enough, however, for his age. Before Erasmus men were accustomed to read the New Testament in Latin; after 1516 no competent scholar could be content with anything but the Greek. But though the priority actually belongs to Erasmus, it must be stated that the Greek version had already been printed in January 1514 in a Polyglott Bible published under the orders of Cardinal Ximenes at Alcala in Spain. For definite reasons, however, this great edition was not put into circulation till 1520.

By this time Erasmus had attained his highest point. As years went on his activity continued unabated, his fame grew and his material circumstances reached a level at which he was far above want and could gratify his generous impulses freely. But a cloud arose which overshadowed him; and when it broke—long after Erasmus's death—it overwhelmed Europe. The causes which raised it up were not new. For centuries earnest and religious men—Erasmus himself among the number—had been protesting against evil in the Church. In December 1517 Martin Luther, a friar at Wittenberg, created a stir by denouncing a number of the doctrines and practices of the Church; and when the Pope excommunicated him, proceeded publicly to burn the Papal Bull with every mark of contempt. From this he was driven on by opposition and threatened persecution, which he faced with indomitable courage, to a position of complete hostility to Rome ; endeavouring to shatter its immemorial institutions and asserting the right of the individual to approach God through the mediation of Christ only instead of through that of priests : the individual, as an inevitable consequence, claiming the right of private judgement in matters religious instead of bowing to dogma based on the authority of the Church from ages past.

These conclusions Erasmus abhorred. He was all for reform, but a violent severance with the past seemed to him a monstrous remedy. He always exercised, though he did not always claim, the right of thinking for himself ; but he would never have dreamed of allowing the same freedom to the ignorant or the unlearned. The aim of his life was to increase knowledge, in the assurance that from that reform would surely come ; but to force on reform by an appeal to passion, to settle religious difficulties by an appeal to emotion was to him madness.

The ideals of Erasmus and Luther were irreconcilable : and bitterness soon arose between them. From both sides Erasmus was assailed with unmeasured virulence. The strict Catholics called him a heretic, the Lutherans a coward. But throughout these stormy years he never wavered. At the end he was still pursuing the ideal which he had sought at the outset of his public career —reform guided by knowledge. He lived to see some of the disasters which he had dreaded as the result of encouragement given to lawless passion—the Peasants' Revolt in 1525, and the Anabaptist horrors at Munster ten years later. If he could have foreseen the course of the next century, he would not have lacked instances with which to enforce his moral.

After 1516 Erasmus returned to England, and then

after a few weeks settled in the Netherlands, first at the court of Brussels, where he had been appointed Councillor to the young Archduke Charles ; and then at the University of Louvain. He was incessantly at work, a new edition of the New Testament being projected within a few weeks of the publication of the first. This appeared in 1519, after Erasmus had journeyed to Basel in the summer of 1518 to help with the printing. In the autumn of 1521 he determined to remove to Basel altogether, to escape the attacks of the Louvain theologians and to be near his printers. For the next few years he was at Froben's right hand, editing the Fathers in one great series of volumes after another, and unsparing of his health.

It was during this period that one of the best known of his works, the *Colloquia*, attained maturity. These were composed first in Paris for a pupil, as polite forms of address at meeting and parting. In their final shape they are a series of lively dialogues in which characters, often thinly disguised, discuss the burning questions of the day with lightness and humour. In all subsequent times they have been a favourite book for school reading ; and some of Shakespeare's lines are an echo of Erasmus.

In 1529 religious dissensions drove him from Basel and he took refuge at Freiburg in the Breisgau, which was still untouched by the Reformation. There he worked on, in the intervals of severe illness ; his courage never failed him and he was comforted by the affection of his friends. In 1535 he returned again to Basel, to be at hand in the printing of a work on preaching, the *Ecclesiastes*, to which he had given his recent efforts ; and there death, which for twelve years had not seemed far away, overtook him on July 12, 1536,

SELECTIONS FROM ERASMUS

I. AN ORDINATION EXAMINATION

Non ab re fuerit hoc loco referre quid acciderit
Davidi quondam episcopo Traiectensi, Ducis Philippi
cognomento Boni filio. Vir erat apprime doctus rei-
que theologicae peritus, quod in nobilibus et illius
5 praesertim dicionis episcopis profana dicione onustis
perrarum est. Audierat inter tam multos qui sacris
initiabantur, paucissimos esse qui literas scirent.
Visum est rem propius cognoscere. In aula in quam
admittebantur examinandi iussit sibi poni cathedram.
10 Ipse singulis proposuit quaestiones pro gradus quem
petebant dignitate ; hypodiaconis futuris leviores, dia-
conis aliquanto difficiliores, presbyteris theologicas.
Quaeris eventum ? Submovit omnes exceptis tribus.
Qui his rebus praeesse solent existimarunt ingens
15 Ecclesiae dedecus fore, si pro trecentis tres tantum ini-
tiarentur. Episcopus, ut erat fervido ingenio, respondit
maius fore dedecus Ecclesiae, si in eam pro hominibus
admitterentur asini et omnibus asinis stolidiores. In-
stabant ii quibus hinc aliquid emolumenti metitur, ut
20 moderaretur sententiam, reputans hoc seculum non
gignere Paulos aut Hieronymos, sed tales recipiendos
quales ea ferret aetas. Perstitit episcopus, negans se
requirere Paulos ac Hieronymos, sed asinos pro homi-

nibus non admissurum.   Hic confugiendum erat ad
extremam machinam. Admota est. Quaenam ? 'Si qua 25
coepisti' inquiunt 'visum est pertendere, salaria nobis
augeas oportet; alioqui sine his asinis non est unde
vivamus.'   Hoc ariete deiectus est erectus ille Praesulis
animus.

II. A DOMESTIC AFFRAY

ERASMUS CHRISTIANO S. D.

SALVE, mel Atticum.   Heri nihil scripsi, et consulto
quidem ; nam eram stomachosior.   Ne roga in quem,
in te inquam. 'Quid commerueram ?' Verebar mihi
insidias strui per te hominem argutissimum.   Suspe-
ctam habebam illam tuam pyxidem, ne quid simile 5
nobis afferret, quale ferunt Pandorae pyxidem Epime-
theo ; quam ubi recluseram, mihi ipsi succensebam
qui fuissem suspiciosulus. 'Cur igitur ne hodie quidem
scripsisti ?' inquies. Eramus occupatissimi. 'Quid tandem negotii ?'   In spectaculo sedimus, sane iucundo. 10
'Comoedia' inquis 'fuit, an Tragoedia ?'   Utrumvis,
verum nemo personatus agebat, unicus duntaxat actus,
chorus sine tibiis, fabula nec togata nec palliata, sed
planipedia, humi acta, sine saltatu, e cenaculo spe-
ctata, epitasis turbulentissima, exitus perturbatissimus. 15
'Quam, malum,' inquies 'mihi fabulam fingis ?' Immo
rem, Christiane, refero.

Spectavimus hodie matremfamilias cum famula do-
mestica fortiter depugnantem.   Sonuerat diu tuba ante
congressum, convicia fortiter utrinque regeruntur. Hic 20
aequo Marte discessum est, triumphavit nemo.   Haec
in hortis, nos e cenaculo taciti spectabamus, non

sine risu. Sed audi catastrophen. A pugna conscendit
cubiculum meum puella, concinnatura lectos. Inter
25 confabulandum laudo fortitudinem illius, quod voce
conviciisque nihil cesserit dominae ; ceterum optasse
me ut quantum lingua valebat, tantundem valuisset et
manibus. Nam hera, virago robusta ut vel athleta videri
posset, subinde caput humilioris puellae pugnis contun-
30 debat. 'Usque adeone' inquam 'nullos habes ungues,
ut ista impune feras?' Respondit illa subridens sibi
quidem non tam animum deesse quam vires. 'An tu
putas' inquam 'bellorum exitus a viribus tantum
pendere ? Consilium ubique valet plurimum.' Roganti
35 quid haberem consilii, 'Ubi te rursus adorietur,' inquam 'protinus caliendrum detrahe' (nam mulierculae
Parisiorum mire sibi placent nigris quibusdam cali-
endris): 'eo detracto mox in capillos invola.'

Haec ut a me ioco dicebantur, itidem accipi puta-
40 bam. Atqui sub cenae tempus accurrit anhelus hospes; is erat Caroli regis caduceator, vulgato cognomine
dictus Gentil Gerson. 'Adeste,' inquit 'domini mei,
videbitis cruentum spectaculum.' Accurrimus, offendimus matremfamilias ac puellam humi colluctantes.
45 Vix a nobis diremptae sunt. Quam cruenta fuisset
pugna res ipsa declarabat. Iacebant per humum sparsa,
hic caliendrum, illic flammeum. Glomeribus pilorum
plenum erat solum ; tam crudelis fuerat laniena.
Ubi accubuimus in cena, narrat nobis magno stomacho
50 materfamilias quam fortiter se gessisset puella. 'Ubi
pararem' inquit 'illam castigare, hoc est pugnis contun-
dere, illa mihi protinus caliendrum detraxit e capite.'
Agnovi me non surdae cecinisse fabulam. 'Id detra-
ctum' inquit 'mihi venefica vibrabat in oculos.' Id

non admonueram. 'Tum' inquit 'tantum capillorum 55
evulsit quantum hic videtis.' Coelum ac terram testata
est se nunquam expertam esse puellam tam pusillam
ac perinde malam. Nos excusare casus humanos et
ancipitem bellorum exitum, tractare de componenda
in posterum concordia. Ego interim mihi gratulabar 60
dominae non subolere rem meo consilio gestam ; alioqui sensissem et ipse illi non deesse linguam.

Habes nostra ludicra ; nunc ad seria. Duplicem
mecum contentionem acceperas, scribendi et munera
mittendi. Altera te plane victum declaras, ut qui 65
alienis manibus mecum dimicare coeperis ; an infitia-
beris impudens ? Non arbitror, si quid frontis est.
Alteram ipse ne suscepi quidem, sed ultro manus dedi.
Literis longe vinceris, immo ne pugnas quidem, nisi ut
Patroclus Achillis armis. Muneribus nolo tecum inire 70
certamen. An poeta cum negotiatore ? Quid simile ?
Verum heus tu, ad aequiorem concertationem provoco.
Experire utrum tu me prius mittendo an ego te
scribendo defatigem. Hoc demum sit bellum dignum
poeta, dignum institore. Tu si quid audes, accingere ; 75
ac bene vale. Parisiis. Anno M.CCCC.XCVII.

III. A WINTER JOURNEY

GUILHELMO MONTIOIO COMITI ANGLO ERASMUS
ROTERODAMUS S. D.

PERVENIMUS tandem et quidem incolumes, tametsi
invitis (ut apparet) et superis et inferis. O durum
iter ! Quem ego posthac Herculem, quem Ulyssem non
contemnam ? Pugnabat Iuno semper poeticis viris

5 infesta ; rursum Aeolum sollicitarat ; nec ventis modo
in nos saeviebat, omnibus armis in nos dimicabat, fri-
gore acerrimo, nive, grandine, pluvia, imbre, nebulis,
omnibus denique iniuriis. Hisque nunc singulis nunc
universis nos oppugnabat. Prima nocte post diuti-
10 nam pluviam subitum atque acre obortum gelu viam
asperrimam effecerat ; accessit nivis vis immodica ;
deinde grando, tum et pluvia, quae simul atque terram
arboremve contigit, protinus in glaciem concreta est.
Vidisses passim terram glacie incrustatam, neque id
15 aequali superficie, sed colliculis acutissimis passim
exstantibus. Vidisses arbores glacie vestitas adeoque
pressas, ut aliae summo cacumine imum solum continge-
rent, aliae ramis lacerae, aliae medio trunco discissae
starent, aliae funditus evulsae iacerent. Iurabant nobis
20 e rusticis homines natu grandes, se simile nihil unquam in vita vidisse antea. Equis interim eundum erat
nunc per profundos nivium cumulos, nunc per sentes
glacie incrustatos, nunc per sulcos bis asperos, quos
primum gelu duraverat, deinde et glacies acuerat, nunc
25 per crustam quae summas obduxerat nives ; quod
quidem mollius erat quam ut equum sustineret, durius
quam ut ungulas non scinderet.

Quid inter haec animi Erasmo tuo fuisse credis ?
Insidebat attonito equo eques attonitus ; qui quoties
30 aures erigebat, ego animum deiciebam, quoties ille in
genua procumbebat, mihi pectus saliebat. Iam Bellerophon ille poeticus suo terrebat exemplo ; iam meam
ipse temeritatem exsecrabar, qui mutae beluae vitam
et una literas meas commiserim. Sed audi quiddam,
35 quod tu credas ex veris Luciani narrationibus petitum,
ni mihi ipsi Batto teste accidisset. Cum arx iam ferme

in prospectu esset, offendimus omnia undique glacie
incrustata, quae ut dixi in nivem inciderat. Et erat
tanta ventorum vis, ut eo die unus atque alter collapsi
perierint. Flabant autem a tergo. Itaque per declive 40
montium me demittebam, per summam glaciem velifi-
cans, atque interim hastili cursum moderans. Id erat
clavi vice. Novum navigandi genus. Toto fere itinere
obvius fit nemo, sequitur nemo, adeo non solum saeva
sed etiam monstruosa erat tempestas. Quarto vix 45
demum die solem aspeximus. Hoc unum ex tantis
malis commodi excerpsimus, quod latronum incursus
timuimus minus: timuimus tamen, ut homines pecu-
niosos decebat.

Habes iter meum, adolescens generosissime idemque 50
candidissime; quod ut durissimum fuit, ita reliqua fuere
secundissima. Vivi pervenimus ad Annam Principem
Verianam. Quid ego tibi de huius mulieris comitate,
benignitate, liberalitate memorem? Scio rhetorum
amplificationes suspectas haberi solere, praesertim iis 55
qui eius artificii rudes non sint. At hic me nihil
allevare, immo re vinci artem nostram, mihi credas
velim. Nihil unquam produxit rerum natura aut pu-
dentius aut prudentius aut candidius aut benignius.
Quid de meo Batto iactitem, cuius pectore nihil habuit 60
hic orbis simplicius, nihil amantius?

Haec scribebam in patriam concessurus; deinde ada-
matam Lutetiam repetam et has ipsas literas fortasse
praecurram. Ceterum de nostro convictu nihil certi
scribere licet. Tamen consilium ex tempore capietur. 65
Hoc unum tibi persuade, neminem vivere qui te magis
ex animo amet quam tuus Erasmus. Battus quoque
meus, omnium et amorum et odiorum meorum socius,

te pari caritate prosequitur. Cura, mi Guilhelme, ut
70 quam optime valeas.

Ex arce Tornenhensi pridie nonas Februarias.

IV. AN ENGLISH COUNTRY-HOUSE

ERASMUS FAUSTO ANDRELINO POETAE LAUREATO

Nos in Anglia nonnihil promovimus. Erasmus
ille, quem nosti, iam bonus propemodum venator est,
eques non pessimus, aulicus non imperitus, salutat paulo
blandius, arridet comius, et invita Minerva haec omnia.
5 Tu quoque, si sapis, huc advolabis. Quid ita te iuvat
hominem tam nasutum inter merdas Gallicas consene-
scere? Sed retinet te tua podagra; ut ea te salvo pereat
male. Quanquam si Britanniae dotes satis pernos-
ses, Fauste, ne tu alatis pedibus huc accurreres ; et si
10 podagra tua non sineret, Daedalum te fieri optares.

Nam ut e plurimis unum quiddam attingam, sunt
hic nymphae divinis vultibus, blandae, faciles, et quas
tu tuis camenis facile anteponas. Est praeterea mos
nunquam satis laudatus. Sive quo venis, omnium
15 osculis exciperis ; sive discedis aliquo, osculis dimitteris;
redis, redduntur suavia ; venitur ad te, propinantur
suavia ; disceditur abs te, dividuntur basia ; occurritur
alicubi, basiatur affatim ; denique quocunque te moves,
suaviorum plena sunt omnia. Quae si tu, Fauste,
20 gustasses semel quam sint mollicula, quam fragrantia,
profecto cuperes non decennium solum, ut Solon fecit,
sed ad mortem usque in Anglia peregrinari. Cetera
coram iocabimur ; nam videbo te, spero, propediem.

Vale, ex Anglia. Anno M. CCCC. LXXXXIX.

V. A VISIT TO COURT

Edidimus olim carmen de laudibus regis Henrici septimi
et illius liberorum, nec non ipsius Britanniae. Is erat
labor tridui, et tamen labor, quod iam annos aliquot
nec legeram nec scripseram ullum carmen. Id partim
pudor a nobis extorsit, partim dolor. Pertraxerat me 5
Thomas Morus, qui tum me in praedio Montioii agentem
inviserat, ut animi causa in proximum vicum exspatia-
remur. Nam illic educabantur omnes liberi regii, uno
Arcturo excepto, qui tum erat natu maximus. Ubi
ventum erat in aulam, convenit tota pompa, non solum 10
domus illius verum etiam Montioiicae. Stabat in medio
Henricus annos natus novem, iam tum indolem quandam regiam prae se ferens, hoc est animi celsitudinem cum singulari quadam humanitate coniunctam.
A dextris erat Margareta, undecim ferme annos nata, 15
quae post nupsit Iacobo Scotorum regi. A sinistris
Maria lusitans, annos nata quatuor. Nam Edmondus
adhuc infans in ulnis gestabatur. Morus cum Arnoldo
sodali salutato puero Henrico, quo rege nunc floret
Britannia, nescio quid scriptorum obtulit. Ego, quo- 20
niam huiusmodi nihil exspectabam, nihil habens quod
exhiberem, pollicitus sum aliquo pacto meum erga
ipsum studium aliquando declaraturum. Interim sub-
irascebar Moro quod non praemonuisset, et eo magis
quod puer epistolio inter prandendum ad me misso 25
meum calamum provocaret. Abii domum, ac vel invitis
Musis, cum quibus iam longum fuerat divortium, carmen
intra triduum absolvi. Sic et ultus sum dolorem meum
et pudorem sarsi.

VI. ERASMUS AT OXFORD

ERASMUS GULIELMO MONTIOIO COMITI GENEROSO S. D.

Sɪ tu tuaque generosissima coniunx, socer humanissimus reliquaque familia valetis, est cur maximopere
gaudeamus. Nos hic quidem valemus perbelle, et indies
bellius. Dici non potest quam mihi dulcescat Anglia
5 tua, idque partim consuetudine, quae omnia dura lenire
solet, partim Coleti Charnocique Prioris humanitate,
quorum moribus nihil fingi potest suavius, mellitius,
amabilius ; cum his duobus amicis ego vel in extrema
Scythia vivere non recusem. Idem quod scripsit Hora-
10 tius, et vulgus interdum videre verum, res ipsa me
docuit; cuius hoc tritum nosti, quarum rerum durissimi
soleant esse aditus, eas felicius evenire. Quid nostro
illo ingressu fuit, ut ita dicam, inauspicatius ? at nunc
secundiora indies omnia. Evomui taedium omne quo
15 me quondam nauseantem videbas. Quod reliquum est,
te oro, meum decus, ut,quando tum cum meus me animus
deficiebat, tuo sustinuisti, nunc cum meus mihi non
deest, tuus ne destituat.

Quod ad diem praefinitum non veneris, expostulare
20 tecum nec libet, nec iure me posse puto. Quid te re-
tardarit equidem nescio. Hoc unum scio, quicquid
fuit, legitimum quiddam et iustum fuisse, quare venire
non potueris ; nam voluisse nihil dubito. Neque enim
ullam video causam cur istud fingere volueris. Et ea
25 est generosissimae mentis tuae ingenua simplicitas, ut
maxima etiam de causa mentiri nec scias si velis, nec
velis si scias. Non est meum te vel hortari vel dehortari, immo dehortari potius. Quod tuae te res hortantur,

id sequere.   Nos ita te desideramus ut interim te tuis
commodis inservire velimus.   Si brevi venturus es 30
gaudemus; sin qua res te retinet, modo incommodi nihil
sit, ut hactenus fecimus, aequo te animo exspectabimus.

Pecunias meas anulo tuo diligenter obsignatas mitte.
Priori iam sum multis nominibus obaeratus; ministrat
ille quidem tum benigne tum prompte.   Verum quando 35
ille humanissimi hominis officio functus est, par est nos
invicem gratorum hominum munere fungi, et quam
ille libenter dedit, tam nos libenter reddere.   Ut rara
supellectile, ita bonis amicis parcius utendum esse
censeo.   Si quid istic novatum est, facito me per literas 40
certiorem.   Bene vale.

Oxoniae.

VII. AN OXFORD DINNER PARTY

ERASMUS DOMINO IOANNI SIXTINO S. D.

QUAM vellem nuper, ut exspectaram, ita nostro illi
convivio interfuisses; vero inquam convivio, non sym-
posio.   Mihi quidem omnino nullum unquam fuit suavius, lautius, mellitius.   Deerat nihil.   Belli homunculi,
tempus lectum, locus lectus, apparatus non neglectus. 5
Iis lautitiis ut vel Epicurum ipsum, iis sermonibus
conditum erat ut vel Pythagoram delectare posset.
Homunculi non belli solum verum etiam bellissimi,
et eiusmodi qui Academiam possent facere, non modo
convivium.   Quinam, inquies? Accipe, quo magis te 10
doleas abfuisse.   Primum Richardus prior, ille Charitum
antistes; tum Theologus is, qui eodem die Latinam
habuerat contionem, vir tum modestus tum eruditus;
deinde Philippus ille tuus, homo lepidissimae festivi·

15 tatis. Praesidebat Coletus veteris illius theologiae vin-
dex atque assertor. Accumbebat dextra Prior, homo
(ita me deus amet) non minus mirabili mixtura ex omnium literarum generibus omnibus, quam ex summa
humanitate summaque item integritate conflatus. Ad
20 laevam recentior ille Theologus, cui nos quidem laevum
latus clausimus, ne poeta convivio deesset. Ex adverso
Philippus, ne non adesset iurisperitus. Accumbit dein-
ceps mixtum et sine nomine vulgus.

His ordinibus ita digestis statim bellum oritur inter
25 pocula, non tamen ex poculis neque poculentum. Cum
variis de rebus parum conveniebat, tum de hac pugna
erat acerrima. Dicebat Coletus Caym ea primum culpa
Deum offendisse, quod tanquam conditoris benignitate
diffisus suaeque nimium confisus industriae terram pri-
30 mus proscidisset, cum Abel sponte nascentibus contentus oves pavisset. Contra, nos pro se quisque niti,
Theologus ille syllogismis, ego rhetoriis. Ne Hercules
quidem contra duos, aiunt Graeci. At ille unus vince-
bat omnes ; visus est sacro quodam furore debacchari
35 ac nescio quid homine sublimius augustiusque prae se
ferre. Aliud sonabat vox, aliud tuebantur oculi, alius
vultus, alius aspectus, maiorque videri, afflatus est
numine quando.

Tandem cum et longius processisset disputatio, et es-
40 set quam ut convivio conveniret gravior atque severior,
tum ego meis, hoc est poetae, partibus functurus, ut
et eam contentionem discuterem et festiviore fabella
prandium exhilararem, 'Res' inquam 'perantiqua est
et ex vetustissimis auctoribus repetenda ; de qua
45 quid ipse in literis reppererim exponam, si prius detis
fidem vos id quod sum narraturus pro fabula non

habituros.' Ubi promiserant, 'Incidimus' inquam 'olim
in vetustissimum codicem, cuius et titulum et aucto-
rem aetas aboleverat tineaeque bonis literis semper
infestae deroserant. In eo unica tantum pagina nec 50
erat carie vitiata nec a tineis aut soricibus arrosa,
Musis credo quae sua sunt tutantibus. In ea me hac
ipsa de re, de qua decernitis, legere memini aut veram
aut, si vera non est, certe veri simillimam narrationem ;
quam si vultis recensebo.'   55

Iubentibus illis ' Erat ' inquam ' Caym ille homo
quemadmodum industrius, ita famelicus et avidus. Is
a parentibus persaepe audierat in viridario illo unde
fuissent depulsi, segetes sua sponte provenire laetis-
simas spicis amplissimis, granis praegrandibus, culmis 60
adeo proceris ut alnum nostratem aequarent; eis nec
lolium nec spinam ullam aut carduum internasci. Haec
cum ille probe meminisset videretque eam tellurem
quam tum vexabat aratro, vix malignam minutamque
frugem producere, dolum addidit industriae. Ange- 65
lum illum paradisi custodem adiit, eumque veteratoriis
technis adortus magnis promissis corrupit, ut sibi ex
felicioribus illis segetibus vel paucula grana clam lar-
giretur. Dicebat Deum iam olim huius rei securum
ac neglegentem esse; tum si maxime rescisset, facile 70
impune futurum, cum res esset nullius momenti, modo
de pomis illis nihil attingeretur, de quibus solis fuisset
interminatus Deus.

' " Eia " inquit "ne ianitor sis nimium diligens. Quid
si ingrata etiam est illi nimia tua sedulitas ? Quid si 75
falli etiam cupit, magisque illum hominum callida industria quam iners otium delectabit ? An vero tu tibi
isto munere magnopere places ? Ex angelo carnificem

te fecit, ut miseros nos et perditos crudelis arceres a
80 patria ; te foribus cum rhomphaea alligavit, cui muneri
nos canes nuper coepimus addicere. Nos quidem
sumus miserrimi, at tu mihi videris conditione non
paulo afflictiore. Nos quidem paradiso caremus, quia
pomum nimium dulce gustavimus. Tu ut inde nos
85 arceas, pariter et coelo cares et paradiso ; hoc miserior,
quod nobis quidem huc atque illuc, quo fert animi
libido, vagari liberum est. Habet et haec nostra regio,
si nescis, quibus exsilium nostrum consolemur, nemora
comis virentibus, mille arborum genera et quibus vix-
90 dum invenimus vocabula, fonticulos passim ex clivis,
ex rupibus scaturientes ; flumina limpidissimis aquis
ripas herbidas lambentia, montes aerios, valles opacas,
ditissima maria. Nec dubito quin in intimis illis suis
visceribus claudat tellus aliquid bonarum mercium ;
95 quas ut eruam, scrutabor omnes eius venas, aut si mihi
defuerit aetas, nepotes certe mei facient. Sunt et hic
aurea mala, sunt fici pinguissimi, sunt frugum omniiuga genera. Multa adeo passim sponte nascuntur ut
paradisum istum non magnopere desideremus, si liceat
100 hic aeternum vivere. Infestamur morbis ; et huic rei
inveniet remedium humana industria. Video herbas
mirum quiddam spirantes. Quid si et hic inveniatur
aliqua quae vitam faciat immortalem ? Nam scientia
ista non video quid ad rem pertineat. Quid mihi cum
105 his quae nihil ad me attinent ? Quanquam in hac parte
non cessabo, quando nihil est quod non expugnet
pertinax industria. Ita nos pro uno hortulo mundum
latissimum accepimus, tu utrinque exclusus nec
paradiso frueris neque coelo neque terra, perpetuo his
110 affixus foribus, rhomphaeam semper versans, quid nisi

ut cum vento pugnes ? Eia age, si sapis, tibi simul et
nobis consule. Da quod sine tuo detrimento largiri
potes, et accipe nostra vicissim quae tibi facimus com-
munia. Miser fave miseris, exclusus exclusis, damnatis
damnatior."   115

'Persuasit pessimam causam vir pessimus, orator
optimus. Paucula grana furtim accepta diligenter
obruit, enata sunt non sine fenore, id fenus rursum
terrae gremio commissum, iterumque atque iterum,
aliud atque aliud. Nec saepius aestas recurrit, quam 120
ille iam ingentem spatiosumque agrorum tractum hac
semente occupavit. Quae res ubi evidentior esse
coepisset quam ut superos latere posset, vehementer
iratus Deus "Quantum intellego" inquit "iuvat hunc
furem labor et sudor. Eum ego illi magnifice cumulabo." 125
Simulque cum dicto confertissimum undique agmen
immittit in segetem, formicarum, curculionum, bufo-
num, erucarum, murium, locustarum, scrofarum, avium
aliarumque id genus pestium, quae segetem partim
adhuc humo conditam, partim herbescentem, partim 130
iam flavam, partim horreo compositam depascerentur.
Accessit ingens ex coelo calamitas, grandinis et venti vis
tanta ut quernis roboribus aequales culmi illi stipulae
aridae in morem defringerentur. Angelus ille custos
mutatus atque, quod hominibus faveret, humano corpori 135
inclusus. Caym, cum Deum incensis frugibus placare
studeret, nec fumus subvolaret, certam illius iram
intellegens desperat.'

Habes fabulam, Sixtine, inter pocula dictam atque
inibi inter pocula natam, atque adeo ex ipsis, si libet, 140
poculis, quam volui ad te perscribere ; primum ne nihil
scriberem, cum meas esse partes agnoscerem ut scri-

berem, quippe qui tuas literas posterior accepissem,
deinde ne tu eius convivii tam lauti prorsus expers esses.
145 Bene vale. Oxoniae.

VIII. LEARNING IN ENGLAND

ERASMUS ROBERTO PISCATORI AGENTI IN ITALIA
ANGLO S. D.

Subverebar nonnihil ad te scribere, Roberte carissime, non quod metuerem ne quid de tuo in nos amore
tanta temporum locorumque disiunctio detrivisset ; sed
quod in ea sis regione, ubi vel parietes sint tum eru-
5 ditiores tum disertiores quam nostrates sunt homines ;
ut quod hic pulchre expolitum, elegans, venustum habetur, istic non rude, non sordidum, non insulsum videri
non possit.   Quare tua te exspectat prorsus Anglia non
modo iureconsultissimum, verum etiam Latine Grae-
10 ceque pariter loquacem.   Me quoque iampridem istic
videres, nisi Comes Montioius iam ad iter accinctum
in Angliam suam abduxisset.   Quo enim ego iuvenem
tam humanum, tam benignum, tam amabilem non
sequar? Sequar, ita me deus amet, vel ad inferos usque.
15 Amplissime tu quidem mihi eum praedicaras graphice-
que prorsus descripseras ; at vincit cotidie, mihi crede,
et tuam praedicationem et meam de se existimationem.
   Sed quid Anglia nostra te delectat, inquis ? Si quid
mihi est apud te fidei, mi Roberte, hanc mihi fidem
20 habeas velim, nihil adhuc aeque placuisse.   Coelum
tum amoenissimum tum saluberrimum hic offendi ;
tantum autem humanitatis atque eruditionis, non illius
protritae ac trivialis, sed reconditae, exactae, antiquae,
Latinae Graecaeque, ut iam Italiam nisi visendi gratia

haud multum desiderem.   Coletum meum cum audio, 25
Platonem ipsum mihi videor audire.   In Grocino quis
illum absolutum disciplinarum orbem non miretur?
Linacri iudicio quid acutius, quid altius, quid emun-
ctius? Thomae Mori ingenio quid unquam finxit natura
vel mollius vel dulcius vel felicius? Iam quid ego 30
reliquum catalogum recenseam? Mirum est dictu
quam hic passim, quam dense veterum literarum seges
efflorescat ; quo magis debes reditum maturare.   Comes
ita te amat, ita meminit, ut de nullo loquatur saepius,
de nullo libentius.   Vale.   35
Londini tumultuarie.   Nonis Decembr.   ⟨1499⟩.

IX. A JOURNEY TO PARIS

ERASMUS BATTO S. P. D.

Multis nominibus tibi gratias agere debeo, mi Batte,
qui vigilias meas, hoc est opes, miseris, cum mature,
quod non soles, tum optima fide, ut consuesti facere ;
denique per tabellionem non modo diligentem verum
etiam facundum, ita ut mihi non illius labori modo 5
verum etiam orationi fuerit referenda merces.   Verum
artem arte lusimus et iuxta vetus proverbium contra
Cretensem Cretizavimus.

Anglica fata Parisios usque nos sunt persecuta.   En
tibi alteram narro tragoediam priore etiam atrociorem ! 10
Pridie Calendas Februarias Ambianos pervenimus,
bone deus, quam duro itinere ! Iuno, opinor, aliqua
rursus Aeolum in nos excitarat.   Ego cum iam de
via ita essem affectus ut morbum etiam metuerem,
coepi de equis conducendis cogitare, non paulo prae- 15
stare ratus corpusculo quam nummulis parcere.   Et

hic sunt ad perniciem secunda omnia. Dum diversorium solitum peto, obiter forte aedes praetereo
quasdam equis locandis inscriptas. Ingredior, advo-
20 catur locator, homo effigie et habitu ita adamussim
Mercurium referens ut mihi primo quoque congressu
furis suspicionem dederit. Convenit de mercede.
Conductis duobus equis iter sub vesperum ingredi-
mur, comitante iuvene quodam, quem generum esse
25 suum aiebat, qui iumenta domum referret. Postridie
ad viculum quendam, cui divo Iuliano nomen est,
perventum est et quidem multa adhuc luce, locum
latrocinio destinatum. Ego ut pergeremus hortabar.
Ille latronis discipulus causari, equos non esse supra
30 vires defatigandos, satius esse illic pernoctare ac
postridie id dispendii. anticipata luce sarcire. Non
repugnabam magnopere, nihil etiamdum sceleris
suspicans. Iam propemodum cenaveramus, cum
ministra iuvenem illum una nobiscum accumbentem
35 a convivio sevocat, alteri equo nescio quid mali esse
dictitans. Discedit adolescens sed eo vultu ut aliud
nuntiatum intellegeres. Ego continuo puellam revo-
cans, ' Heus ' inquam ' filia, uter equorum male habet,
meusne an huius ? ' Nam aderat Anglus itineris mei
40 comes. ' Et quid tandem est mali ? ' Illa conscien-
tiam constanter dissimulare non valens subrisit, et
figmentum confessa venisse notum quendam aiebat,
qui iuvenem ad colloquium evocasset.

Nec ita multo post locator ipse, qui iugulos nostros
45 victimae destinarat, cenaculum ingreditur. Nos admirari, rogare quidnam accidisset, quod tam inexspe-
ctatus atque improvisus adesset. Ait se rem adferre
flebilem, filiam suam, eius iuvenis uxorem, ita ab

equo calcibus percussam ut iam animam propemodum
ageret ; tumultuario itinere sese accurrisse, ut eum 50
domum revocaret. Mihi iam tum commentum obolere
coepit. Utriusque vultum et gestus curiosius observo.
In locatore ilico inconstantiam quandam animadverto,
in iuvene stuporem qui e regione accumbebat ; ac
mecum protinus Ciceronianum illud, Nisi fingeres, 55
non sic ageres. Iam mihi nihil agendum putabam,
nisi ut ab homine absolverer, quippe qui nihil usquam
viderem quod non latrocinium saperet. Augebant
anteacta suspicionem, quod cum Ambianis de mercede
convenisset, ille data opera me rogavit quasnam esset 60
pecunias accepturus. Subito aderant, nec scio unde
emersissent, qui sermonibus adiuvabant fabulam. Mihi
laudabant locatorem, gratulabantur de tali comite,
me vicissim locatori commendabant. Rogabat semel
atque iterum locator ecquem haberem postulatum, 65
id est nomisma rarius. Nego mihi esse. Deprompsi
scutatum unum atque alterum, qui tametsi satis
probarentur, tamen blandius efflagitabat ut e multis
quos habere me putabat, unum aliquem bellissimum
darem. Est enim hoc huius sceleratissimae artis 70
caput, explorare quantum quisque viator secum portet.
Ostendebam quos tum habebam, e quibus ille bellissimum sibi retinuit.

Accedebant ad maleficii coniecturam quaedam a
iuvene in itinere dicta ac facta ; quae consilio soceri 75
de composito praeparata videri possent. E duobus
equis alter erat ignavissimus, ut in fuga nihil futurum
esset praesidii. Is cui ego insidebam, in collo vulnus
ingens habebat adhuc unguentis oblitum. Non ita
procul aberamus ab urbe, rogat iuvenis sibi liceat 80

a tergo meo in lumbos equi conscendere, iumentum
assuetum ferendis duobus, ne quid metuerem equo.
'Sero' inquit 'exivimus, hoc celerius perveniemus.'
Passus sum ; oritur sermo variis de rebus. Sic loquitur
85 de socero quasi non optime de illo sentiret. Est et
hoc unum e latronum mysteriis. Interea crumena
mea defluit in tergum, inerant autem octo ferme
coronati aurei. Is reponit ad umbilicum. Rursum
defluentem reponit, admonens ut crumena semper
90 sit in oculis. Ego ridens 'Quorsum' inquam 'attinet
servare vacuam ?' Obscura iam nocte nemus quoddam
emensi tandem in vicum quendam emersimus. Iuvenis
circumspectans fingit se nescire ubinam locorum esset,
ducit nos in aedes nescio quas. Iubeo ut iuvenis ipse
95 se curet suo more, nos utrique ieiuni cubitum imus.
Anglus hoc religioni dabat, ego valetudini ; nam graviter
e stomacho laborabam. Accedit mulier, nobis ut putabat altum dormientibus, multa cum ignoto illo, ut
simulabat, iuvene familiarissime collocuta est. Tan-
100 dem iuvene submonente reliquus sermo sibilis peractus
est, ut exaudire non possem.

Ante lucem extrudo eos ad iter. Toto itinere tracto
iuvenem sane comiter. Ubi perventum est ad oppidum
cui nomen Claro monti, paro ingredi, non illic acturus
105 noctem sed aurum commutaturus, ne quid ea res esset
in mora in vico pernoctantibus. Dissuadet iuvenis,
affirmans sibi satis esse monetae argenteae. Itaque ad
laevam oppido relicto pergimus. Iam vico proximi cum
essemus, forte praecesserat Anglus una cum iuvene,
110 ego sequor,

sicut meus est mos,
nescio quid meditans nugarum et totus in illis.

Interim imprudente me descenderat Anglus. Iuvenis
adduxerat equum ad fores, ubi nunquam fuerat diversorium. Ubi sensi, demiror quid cogitet. Ille cir- 115
cumspectans negat se illic intra quatuordecim fuisse
annos. Rogat quod mihi placeat diversorium. 'Quid
si huc' inquit 'divertamus?' et ostendit domum
destinatam. Non abnuo, memor quod illic olim sat
commode acceptus fuissem, sed ignarus hospitem esse 120
mutatum. Datur ex more cubiculum. Apponitur
vinum, sed male respondens palato. Atqui vix eramus
ingressi, cum video ignoto illi iuveni in culina vinum
in vitro appositum, eo colore ut mihi gratularer. Hac
igitur spe frustratus descendo, expostulo cum hospite ; 125
mutatur vinum. Haec iam tum mirabar magis quam
habebam suspecta.

Quare (ut ad intermissum narrationis ordinem
redeam) iam certa suspicione latrocinii id agere coepi
quo me cultro subducerem. 'Quid igitur' inquam 130
'tibi in animo est?' 'Ego' inquit 'fortasse vos
Parisios deportabo, verum huic genero plane domum
est recurrendum.' 'Immo' inquam 'commodius dabo
consilium. Quando casus tam acerbus vobis accidit,
ut tu filiam, hic uxorem prope perdiderit, illud vestra 135
causa faciam. Habes a me scutatum sole insignem,
restant passuum quatuordecim milia ; diminue de
ratione mercedis quantum de itinere superest, ac
redite. Nos reliquum iter aut pedibus conficiemus
aut equos mutabimus.' Caput quatiebat homo, deinde 140
descendit, iuvene relicto mira latrocinii peritia ut quid
nobis esset sententiae per hunc expiscaretur. Hic
ego accito adolescente ' Heus,' inquam 'quaeso, verum
dicas, quidnam de uxore tua, cedo?' Confessus est

145 rem commenticiam, verum socero necessarium esse
iter Parisios, ut creditum repeteret. 'Ne quid' inquit
'illius oratione commoveare. Quin vos cras summo
diluculo equos conscendite, nos utrique consequemur.'
Atqui non temere est' inquam 'quod nos tanto
150 itinere tam repente assequitur, et quidem noctu, tum
die tam sacro.' Erat enim postridie Virginis matris
purgatio. 'Et quorsum' inquam 'attinet tot concin-
nare mendacia?' Iussit me adolescens bono esse
animo, se omnia ex mea facturos esse sententia.
155 'Quod si quid ille gravetur,' inquit 'ego non deseram
te, donec mihi rumpatur cor'; atque haec vultu illo
stupido. Ita adsimulabat sese, tanquam furtim mihi
contra socerum studeret; deinde descendit et ille, quid
nisi ut praeceptori suo rem renuntiaret.
160   Interea solitudinem nactus Anglum rogo quid tandem
ipsi videretur. Is praeter latrocinium paratum nihil
se videre respondit. 'At quid' inquam 'consilii?'
Iam nox erat profunda. Venit interea cauponaria
lectos instratura; rogo ubinam essemus cubituri,
165 lectum ostendit. 'Et ubi reliqui duo?' 'In altero'
inquit 'hoc lecto'; qui communi cubiculo contine-
batur. Tum ego 'Est mihi' inquam 'quiddam nugarum transigendum cum hoc meo comite; sine nos
in hoc cubiculo cubitare solos, dabitur merces utroque
170 pro lecto.' Ibi venefica mulier et quid ageretur haud
ignara primum suadere coepit ut una potius cubare-
mus; eos esse viros probos, nec causam esse quo minus
illos in cubiculo dormire vellemus. Si quid inter
nos haberemus communicandum, id sermone nostrate
175 licere fieri; sin pecuniae nostrae timeremus, illis ser-
vandam committeremus, ovem (ut aiunt) lupo. Et ut

malefica dignum erat, manifestaria vanitate reliqua
cubicula iam hospitibus occupata ementiebatur, quando
praeter nos nemo in iis aedibus erat hospes. Quid
multa ? Argumentis victa obstinate sese id facturam 180
negabat. Iubeo fores igitur aperiat ac nos aliquo eiciat.
Ne id quidem se facturam affirmat, descenditque irata ac
submurmurans et homicidae illi rem omnem renuntiat,
me de gradibus subauscultante.

In Anglo nihil erat neque animi neque consilii neque 185
linguae ; nam Gallice prorsus nesciebat. Mihi primum
illud visum est esse consultissimum, obice ferreo occlu-
dere cubiculi ostium, obiecto et ingenti scamno querno.
Verum id consilium mox displicuit reputanti nos in
tam vastis aedibus solos obiici pluribus ; et iam multa 190
nox erat, nec usquam vociferatio potuisset exaudiri,
nisi qua parte cubiculum spectabat viam publicam : at
illic obstabat templum monasterii cuiusdam. Interea
dum circumspicio melius aliquod consilium, nec satis
occurrit, puella pulsat fores. Ego clanculum submoto 195
scamno rogo quid velit. Respondit nescio quid se
adferre, sed voce alacri. Aperio fores, blandior et ad-
ludo puellae, quo metum dissimulem. Sedemus interim tanquam duae victimae mactatorem exspectantes.
Convenit tamen inter nos ut otiose sobrieque fabu- 200
laremur ad ignem absque potatione, donec indusiati
caligatique vicissim dormiremus ac vigilaremus. Paulo
post ingreditur bonus ille vir, tanquam omnium rerum
ignarus ; observo hominem oculis diligenter. Quo
fixius contemplor, eo certius latronem video ; qui cum 205
tandem se una cum suo tirone lecto composuisset,
consequimur et nos, nec ea nocte quicquam sensimus,
nisi quod experrectus Anglus gladium, quem ad pul-

vinum locaverat, longe amotum in extremum usque
210 cubiculi angulum repperit. Nam duobus nobis unicus
duntaxat erat ensis ac chirotheca loricata; haec erat
nostra panoplia.

Ego multo ante diluculum consurgo, fenestras ac
fores cubiculi aperio. Iam lucescere clamo, strepo,
215 familiares expergefacio. Dum finem non facio, ibi
latro voce quam diceres esse non somnolenti, 'Quid
paras?' inquit. 'Vixdum est hora noctis undecima.'
Ego contra clamo coelum esse densissimis obductum
nebulis, mox clarum diem emicaturum. Quid multis?
220 Adfertur lucerna. Interea ut observarem quid ageretur in inferioribus aedibus, decurro; obambulans ac
circumspectans offendo latronum equos stantes ephip-
piis impositis, quomodo necesse erat eos totam stetisse
noctem, cum praeter modo excitatam puellam nemo
225 non esset in stratis. Tandem surgunt et nostri
carnifices. Ibi res quaepiam incommoda, ut videbatur,
nobis saluti fuit. Nihil enim latronem illum exciverat,
nisi quod nos quam pecuniosissimos esse existimaret;
at haec una res illi fidem facere potuit nos tenui
230 pecunia esse. Minusculum erat argenteae pecuniae
quam ut cauponi pro cena atque equis omnium satis-
facere possem. Aut igitur ille aureum mutaret iussi,
aut locator meo nomine quinque duodenarios (tantum
enim deerat) redderet, apud divum Dionysium a me
235 recepturus. Cauponaria neque sibi lances domi, neque
qui mutaret aurum esse iurabat. Latro ille ait se ea
quidem lege facturum, si sibi aureum pignoris loco
tradidissem; hortabatur impendio id ut facerem cauponaria, mulier ut scelesta, ita et impudens et stulta;
240 inde multa ac longa inter nos rixa. Poscebam mihi

fores aperiret, me ipsum mutandi auri causa monasterii
Priorem, quod e regione est, aditurum ; illa negabat.

Rixatum est ad lucem usque.   Tandem iussi sumus
aurum quod mutatum vellemus proferre ; protuli.   Ibi
alii nummo pondus deerat, alius adulterina materia 245
dicebatur, alius parum solidus ; hoc nimirum consilio,
ut si quid reconditi esset auri, id proferre cogeremur.
Ego cum sancte adiurassem mihi praeter eos nullos
esse aureos, ' At comitem ' inquit ' quin tu suos proferre
iubes ?   Video enim illum belle esse nummatum ' ; 250
idque iam blandius coepit poscere.   Ego vero vultu
et voce, ita ut solent et vera et ex animo loquentes,
nihil comiti praeter syngrapham esse deiero.   Profertur·
denique libripens, prodit et caupo ; ibi libratum est
sesquihoram, nec aureus erat cui non aliquid scrupu- 255
lorum deesset.   In aliis deerat ponderi, in aliis causa-
bantur materiam.   Animadverti tandem et lancibus
subesse fraudem et ponderi.   Et forte fortuna id quod
erat gravius manu corripio, caupone tum imprudente.
Reliquum erat ut altero ponderaret, et repente utraque 260
lance aureus praeponderabat.   In utramcunque lancem
translatus erat, eam inclinabat.   Erat enim nummus
pervetustus, cui supererat ultra legitimum pondus ; ut
in his decrescunt omnia.

Iam iugulis nostris utcunque consultum erat, nihil- 265
que agebatur nisi ut lucelli aliquid per calumniam
abraderent.   Tum latro ille spe propemodum frustratus
sua, vel quod parum magnifice nos nummatos intellegeret, vel quod se iam in certam suspicionem nobis
venisse videret meque nonnihil etiam minitantem, 270
denique quod iam multus esset dies, cauponem sibi
nimis quam familiarem a nobis sevocat.   Aureum inter

sese mutant, pro cena et equis retinent quantum
libuit. Accepi viginti tres denarios, equidem laetus :
275 tum metu, quantum mea fert simplicitas, dissimu-
lato, ' Quin ' inquam ' iam equos conscendimus ? '
Stabat etiamdum otiosus locator ille. ' Quid tibi '
inquam ' in animo est ? Cur non hinc fugimus ? An
ire ne nunc quidem paratus es ? ' ' Non sum,' inquit
280 ' nisi universam summam reddideris.' ' Et quantum
tandem poscis ? ' inquam. Poscit impudentissime
quantum libitum erat, et quantum poscere conveniebat
impudentissimum latronem. ' Duc igitur ' inquam
' ita ut recepisti me Parisios, atque illic ratione inita
285 quod tuum erit accipies.' At ille ' Quid ' inquit ' mihi
Parisiis des, qui hic etiam mecum pugnas ? ' Sapiebat,
non passus est se e suo latrocinio extrahi ; nam a me
quidem ista fingebantur, quippe cui nihil minus fuerit
in animo quam cum carnificibus illis itineri me com-
290 mittere. Paulisper rixatus, cum ille nihil se commo-
veret, ad sacrum me ire fingo ; verum recta transmisso
flumine Parisios peto, nec prius latronis sicam timere
desivimus, quam Dionysius nos moenibus suis exciperet.
Postridie Calendas Februarias Lutetiam pervenimus,
295 itinere vexati, exhausti pecuniis.

X. ERASMUS RENDERS ACCOUNT OF HIMSELF TO COLET

ERASMUS IOANNI COLETO SUO S. P. D.

SI vel amicitia nostra, doctissime Colete, vulgaribus
causis coiisset, vel tui mores quicquam unquam vulgi
sapuisse visi essent, vererer equidem nonnihil, ne ea
tam longa tamque diuturna locorum ac temporum

seiunctione, si non interisset, certe refrixisset. Nunc 5
quoniam te mihi doctrinae cuiusdam singularis admi-
ratio amorque pietatis, me tibi spes fortasse nonnulla
vel opinio potius harum rerum conciliavit, non puto
metuendum esse, quod vulgo videmus accidere, ne
ideo desierim esse in animo quod absim ab oculis. 10
Quod autem compluribus iam annis nihil a Coleto
redditur literarum, vel occupationes tuas, vel quod
certum non scires ubi locorum agerem, denique quidvis potius in causa fuisse mihi persuaserim quam ob-
livionem amiculi.   Sed ut de silentio nec debeo nec 15
velim expostulare tecum, ita maiorem in modum te
oro obsecroque ut posthac tantillum otii suffureris
studiis negotiisque tuis, quo me nonnunquam literis
tuis compelles.   Miror nihil dum tuarum commenta-
tionum in Paulum atque in Evangelia prodiisse in 20
lucem.   Equidem non ignoro tuam modestiam; verum
ista quoque tibi aliquando vincenda et publicae utilita-
tis respectu excutienda.   De Doctoris titulo ac Deca-
natus honore neque non aliis quibusdam ornamentis
quae tuis virtutibus ultro delata esse audio, non tam 25
tibi gratulor, quem certo scio nihil inde sibi praeter
laborem vindicaturum, quam iis quibus tu ista gesturus
es, quam ipsis honoribus, qui tum demum hoc nomine
digni videntur, cum inciderint in promerentem neque
tamen ambientem.   30

Dici non queat, optime Colete, quam velis equisque
properem ad sacras literas, quam omnia mihi fastidio
sint quae illinc aut avocant aut etiam remorantur.
Sed fortunae iniquitas, quae me perpetuo eodem aspicit
vultu, fuit in causa quo minus me quiverim ab his 35
tricis expedire.   Hoc itaque animo me in Galliam

recepi, ut eas si nequeam absolvere, certe quocunque
modo abiiciam.   Deinde liber ac toto pectore divinas
literas aggrediar, in his reliquam omnem aetatem
40 insumpturus.   Quanquam ante triennium ausus sum
nescio quid in epistolam Pauli ad Romanos, absolvi-
que uno quasi impetu quatuor volumina; progressu-
rus, ni me quaedam avocassent : quorum illud praeci-
puum, quod passim Graeca desiderarem.   Itaque iam
45 triennium ferme literae Graecae me totum possident,
neque mihi videor operam omnino lusisse.   Coeperam
et Hebraicas attingere, verum peregrinitate sermonis
deterritus, simul quod nec aetas nec ingenium hominis pluribus rebus pariter sufficit, destiti.   Origenis
50 operum bonam partem evolvi; quo praeceptore mihi
videor non nullum fecisse operae pretium.   Aperit
enim quasi fontes quosdam et rationes indicat artis
theologicae.

Mitto ad te munusculum literarium, Lucubratiun-
55 culas aliquot meas ; in quibus est et concertatio
illa De reformidatione Christi, qua quondam in Anglia sumus conflictati ; quanquam adeo mutata ut vix
agnoscas.   Praeterea, quae tu responderas quaeque ipse
rettuleram, non quibant inveniri.   Enchiridion non ad
60 ostentationem ingenii aut eloquentiae conscripsi, verum
ad hoc solum, ut mederer errori vulgo religionem con-
stituentium in caerimoniis et observationibus rerum
corporalium, ea quae ad pietatem pertinent, mire negle-
gentium.   Conatus autem sum velut artificium quod-
65 dam pietatis tradere, more eorum qui de disciplinis
certas rationes conscripsere; reliqua omnia paene alieno
scripsi stomacho : quod laboris datum est animo Batti
mei et affectibus Annae Principis Verianae.   A Pane-

gyrico sic abhorrebam, ut non meminerim quicquam
fecisse me magis reluctante animo. Videbam enim 70
genus hoc citra adulationem tractari non posse.   Ego
tamen novo sum usus artificio, ut et in adulando sim
liberrimus et in libertate adulantissimus.

Si quid tuarum lucubrationum voles excudi formulis,
exemplar tantum mittito ; reliquum a me curabitur, 75
ut emendatissime excudatur.   Et scripsi nuper, et
meministi opinor, de centum Adagiorum libris nostro
sumptu in Angliam transmissis, idque ante triennium.
Scripserat mihi Grocinus se summa fide summaque
diligentia curaturum ut ex animi mei sententia distra- 80
herentur.   Neque dubito quin promissa praestiterit, ut
est vir omnium quos alit Britannia integerrimus opti-
musque.   Dignaberis igitur et ipse hac in re operam
tuam mihi commodare, admonendo atque exstimu-
lando eos per quos putabis negotium oportere confici. 85
Neque enim dubitandum quin tanto spatio divenditi
sint libri, et necesse est pecuniam ad aliquos perve-
nisse ; quae mihi in praesenti sic usui futura est ut
nunquam aeque.   Quavis enim ratione mihi est elabo-
randum ut menses aliquot totus mihi vivam, quo me 90
aliquando ab iis extricem quae in literis profanis
institui ; id quod hac hieme sperabam futurum, nisi
me tam multae spes elusissent.   Neque admodum
magna pecunia redimi poterit haec libertas, nimirum
paucorum mensium.   95

Quare te obsecro ut me ad sacra studia vehementer
anhelantem, quoad potes, adiuves, atque ab iis literis,
quae mihi iam dulces esse desierunt, asseras.   Non
mihi rogandus est Comes meus, Guilielmus Montioius ;
tamen neque ab re neque absurde facturus videatur, si 100

sua benignitate nonnihil adiuverit me, vel quod sic
semper favit studiis meis, vel quod argumentum est
ipso auctore susceptum ipsiusque inscriptum nomini,
nempe Adagiorum. Poenitet enim prioris editionis,
105 vel quod typographorum culpa sic est mendosa, ut
studio depravata videatur ; vel quod instigantibus quibusdam praecipitavi opus, quod mihi nunc demum
ieiunum atque inops videri coepit, posteaquam Graecos
evolvi auctores. Decretum est igitur altera editione
110 et meam et chalcographorum culpam sarcire, simulque
studiosis utilissimo argumento consulere. Quanquam
autem interim rem tracto fortassis humiliorem, tamen
dum in Graecorum hortis versor, multa obiter decerpo,
in posterum usui futura etiam sacris in literis. Nam
115 hoc unum expertus video, nullis in literis nos esse
aliquid sine Graecitate. Aliud enim est coniicere,
aliud iudicare, aliud tuis, aliud alienis oculis credere.
En quo crevit epistola : verum sic loquacem amor, non
vitium, facit. Vale, doctissime atque optime Colete.
120 Sixtino nostro quid acciderit cupio cognoscere ; tum
quid rerum agat dominus Prior Richardus Charno-
cus, animus tuus. Quo certius ad me perferantur ea
quae scripturus missurusve es, iubebis reddi magistro
Christophoro Fischero tui amantissimo, omniumque
125 literatorum fautori summo, in cuius familia diversor.
Lutetiae. Anno m. d. iiii.

XI. A VISIT TO LAMBETH

Annis aliquot ante quam Italiam adii, exercendae
Graecitatis causa, quando non erat praeceptorum copia,
verteram Hecubam Euripidis, tum agens Lovanii. Ad

id audendum provocarat F. Philelphus, qui primam
eius fabulae scenam vertit in oratione quadam funebri, 5
parum ut tum mihi visum est feliciter. Porro cum
stimulos adderet tum hospes meus Ioannes Paludanus,
eius Academiae rhetor, vir si quis alius exacto iudicio,
perrexi quo coeperam. Deinde ubi literis ac montibus,
quod aiunt, aureis amicorum pellectus redieram in 10
Angliam, addidi praefationem et carmen iambicum
plus quam extemporarium, cum forte vacaret mem-
brana, atque auctoribus eruditis amicis sed praecipue
Guilhelmo Grocino, qui tum inter multos Britanniae
doctos primam laudem tenebat, obtuli libellum dica- 15
tum reverendissimo praesuli Guilhelmo archiepiscopo
Cantuariensi, totius Angliae primati et eius regni
Cancellario, hoc est iudici summo. Hoc erat tum
notitiae nostrae felix auspicium. Is cum me paucis salu-
tasset ante prandium, hominem minime multiloquum 20
aut ambitiosum, rursus a prandio paucis confabulatus,
ut est et ipse moribus minime molestis, dimisit cum
honorario munere, quod suo more solus soli dedit, ne
vel pudore vel invidia gravaret accipientem : id actum
est Lambethae. Dum ab hoc redimus cymba vecti, 25
quemadmodum illic mos est, inter navigandum rogat
me Grocinus quantum accepissem muneris; dico summam immensam, ludens. Cum ille rideret, quaero
causam risus, et an non crederet Praesulis animum esse
talem, qui tantum dare vellet ; aut fortunam esse talem 30
ut tantam benignitatem ferre non posset ; aut opus non
esse dignum aliquo magnifico munere. Tandem edito
muneris modo, cum ludens rogarem cur tantillum dedis-
set, urgenti respondit, nihil horum esse, sed obstitisse
suspicionem, ne forte idem operis alibi dedicassem alteri. 35

Eam vocem admiratus, cum rogarem unde nam ea
suspicio venisset homini in mentem, ridens ' Quia sic '
inquit ' soletis vos '; significans id solere fieri a nostrae
farinae hominibus. Hic aculeus cum inhaereret animo
40 meo rudi talium dicteriorum, simulatque me Lutetiam
receperam, inde petiturus Italiam, librum Badio tradidi formulis excudendum, adiecta Iphigenia Aulidensi,
quam fusius ac liberius verteram agens in Anglia ; et
cum unam duntaxat obtulissem Praesuli, utramque
45 dicavi eidem. Sic ultus sum Grocini dictum, cum
interim non haberem in animo revisere Britanniam,
nec de repetendo Archiepiscopo cogitarem : tanta tum
erat in tam tenui fortuna superbia.

XII. A LETTER TO ALDUS

ALDO MANUTIO ROMANO ERASMUS ROTERODAMUS S. P. D.

Illud apud me saepenumero optavi, doctissime Ma-
nuti, ut quantum lucis attulisses utrique literaturae,
non solum arte tua formulisque longe nitidissimis,
verum etiam ingenio doctrinaque neutiquam triviali,
5 tantundem emolumenti illa tibi vicissim rettulisset.
Nam quantum ad famam attinet, dubium non est quin
in omnem usque posteritatem Aldus Manutius volitaturus sit per omnium ora, quicunque literarum sacris
sunt initiati. Erit autem memoria tua, quemadmo-
10 dum nunc est fama, non illustris modo sed favorabilis
quoque et amanda ; propterea quod (ut audio) resti-
tuendis propagandisque bonis auctoribus das operam,
summa quidem cura, at non pari lucro, planeque Her-
culis exemplo laboribus exerceris, pulcherrimis qui-
15 dem illis et immortalem gloriam allaturis aliquando,

verum aliis interim frugiferis magis quam tibi.   Audio
Platonem Graecanicis abs te formulis excudi, quem
docti plerique iam vehementer exspectant.   Quos auctores medicinae impresseris cupio cognoscere.   Atque utinam Paulum Aeginetam nobis dones.   Demiror 20
quid obstiterit quo minus Novum Testamentum iampridem evulgaris, opus (ni me fallit coniectura) etiam
vulgo placiturum, maxime nostro, id est Theologorum,
ordini.

Mitto ad te duas Tragoedias a me versas magna qui- 25
dem audacia, ceterum satisne feliciter ipse iudicabis.
Tomas Linacer, Gulielmus Grocinus, Gulielmus Lati-
merus, Cutbertus Tunstallus, tui quoque amici, non tantum mei, magnopere probarunt; quos ipse nosti doctio-
res esse quam ut iudicio fallantur, sinceriores quam ut 30
amico velint adulari, nisi si quid amore nostri caecu-
tiunt ; neque damnant conatum meum Itali quibus
adhuc ostendi.   Badius impressit sibi sat feliciter, ut
scribit; nam ex animi sententia divendidit exemplaria
iam omnia.   Verum non satis consultum est famae 35
meae, usque adeo mendis scatent omnia ; atque offert
quidem ille operam suam ut superiorem editionem
posteriore resarciat.   Sed vereor ne iuxta Sophocleum
adagium malum malo sarciat.   Existimarim lucubrationes meas immortalitate donatas, si tuis excusae for- 40
mulis in lucem exierint, maxime minutioribus illis
omnium nitidissimis.   Ita fiet ut volumen sit perpusil-
lum, et exiguo sumptu res conficiatur.   Quod si tibi
videbitur commodum negotium suscipere, ego exemplar
emendatum quod mitto per hunc iuvenem gratis sup- 45
peditabo, nisi paucula volumina mittere volueris amicis
donanda.

Neque ego vererer rem meo sumptu meoque periculo
moliri, nisi mihi esset intra paucos menses Italia relin-
50 quenda. Quare pervelim rem quamprimum absolvi.
Est autem vix decem dierum negotium. Quod si modis
omnibus postulas ut centum aut ducenta volumina ad
me recipiam, tametsi non solet mihi admodum propi-
tius esse Mercurius et incommodissimum erit sarcinam
55 transportari, tamen ne id quidem gravabor, modo tu
aequum praescribas pretium. Vale, doctissime Alde,
et Erasmum in eorum numero ponito qui tibi ex animo
bene cupiunt.

Si quid est in officina tua non usitatorum auctorum,
60 gratum facies si indicabis ; nam docti illi Britanni hoc
mihi negotii dederunt uti pervestigarem. Si de im-
primendis Tragoediis res animo tuo non sedet omnino,
reddes exemplar huic ipsi qui attulit ad me referendum.
Bononiae. v. Cal. Novembr.
65 Aldo Manutio Romano, viro undecunque doctissimo.
Venetiis.

XIII. AN INTERVIEW WITH GRIMANI

ERASMUS ROTERODAMUS AUGUSTINO EUGUBINO, CANCEL-
LARIO REGULARIUM SANCTI AUGUSTINI, ORDINIS
SANCTI SALVATORIS S.

Et animum istum et fortunam gratulor, Augustine
doctissime, non tibi modo sed et sacrarum literarum
studiosis. Quos oportet omnes, si grati esse volunt,
bene precari manibus incomparabilis viri Dominici
5 Grymani, qui pulcherrimum hoc propositum et animo
concepit et constanter perfecit, ut bibliothecam optimis
quibusque libris diversarum linguarum instructam non

mediocribus impendiis pararit, suique monumentum
reliquerit: qui non video quo speciosiore titulo
memoriam suae gentis posteritati valuerit commen- 10
dare. Cum agerem Romae, semel atque iterum ab
illo ad colloquium invitatus, ut tum abhorrebam a
cultu magnatum, tandem illius palatium adii, pudore
magis quam ex animo. Nec in area nec in vestibulo
ulla hominis musca apparebat. Erat tum tempus 15
pomeridianum. Equum tradidi famulo et ascendi
solus. Venio ad primum atrium, neminem video : ad
secundum ac tertium, tantundem : nullum ostium
occlusum repperi. Mecum demirans solitudinem, ad
extremum venio: illic unum tantum reperio, Grae- 20
culum ut opinor medicum, tonso capite, custodem
ostii patentis. Rogo quid ageret Cardinalis. Ait
intus cum aliquot generosis confabulari. Cum nihil
adderem, rogat quid vellem. 'Salutare,' inquam, 'si
commodum esset. Nunc quia non vacat, alias 25
revisam.' Dum abiturus paulisper per fenestram
loci situm prospicio, redit ad me Graecus, percontans
num quid velim renuntiari Cardinali. 'Nihil' inquam
'opus interpellare illius colloquium, sed brevi rediturus
sum.' Tandem sciscitanti nomen edo. Eo audito, 30
me non sentiente se proripuit intro, moxque egressus
iubet ne quo abeam, ac protinus accersor. Venientem
excipit non ut cardinalis—et talis cardinalis—extremae
sortis homunculum, sed ut collegam. Posita est sella,
collocuti sumus plus quam duas horas, nec interim 35
licuit manum admovere pileo. Prodigiosam in tanto
rerum fastigio comitatem !

Inter plurima quae de studiis eruditissime disseruit,
satis indicans iam tum sibi fuisse in animo quod nunc

40 de bibliotheca factum accipio, incipit hortari me ne
Romam ingeniorum altricem relinquerem. Invitat
ad domus suae contubernium et fortunarum omnium
communionem, illud addens, coelum Romanum ut
humidum et calidum meo corpusculo convenire, prae-
45 cipueque eam urbis partem in qua palatium habebat,
olim a pontifice quodam exstructum, qui locum eum ut
omnium saluberrimum delegisset.

Post multos sermones ultro citroque habitos, accer-
sit nepotem suum iam tum archiepiscopum, adole-
50 scentem divina quadam indole praeditum. Conantem
assurgere vetuit, 'Decet' inquiens 'discipulum coram
praeceptore stare.' Tandem ostendit bibliothecam
libris multarum linguarum refertam. Quem virum
si mihi contigisset temporius nosse, nunquam Urbem
55 eram relicturus ; quam longe supra meritum meum
repperi faventem. Sed iam abire statueram, eoque res
processerat ut mihi vix integrum esset ibi manere.
Cum dixissem me accitum ab Angliae rege, desiit
urgere : tamen hoc iterum atque iterum oravit, ne
60 suspicarer ea quae promitteret non ex animo proficisci,
neve ipsum ex vulgarium aulicorum moribus aesti-
marem. Aegre me dimisit a colloquio, sed cum abire
gestientem diutius remorari nollet, illud extremis verbis
a me stipulatus est, ut ipsum adhuc semel inviserem,
65 priusquam Urbe excederem. Non redii infelix, ne
hominis facundia victus mutarem sententiam. Nunquam mihi mens aeque fuit laeva. Sed quid agas
cum urgent fata ?

XIV. A CONVERSATION AT CAMBRIDGE

VENIT in mentem quiddam quod ridebis, scio. Cum inter magistros aliquot proponerem de hypodidascalo, quidam non infimae opinionis subridens, 'Quis' inquit 'sustineat in ea schola vitam agere inter pueros, qui possit ubivis quomodocunque vivere?' Respondi mo- 5 destius, hoc munus mihi videri vel in primis hone- stum, bonis moribus ac literis instituere iuventutem, neque Christum eam aetatem contempsisse, et in nul- lam rectius collocari beneficium, et nusquam exspectari fructum uberiorem, utpote cum illa sit seges ac silva 10 reipublicae. Addidi, si qui sint homines vere pii, eos in hac esse sententia ut putent sese nullo officio magis demereri Deum quam si pueros trahant ad Christum. Atque is corrugato naso subsannans, 'Si quis' inquit 'velit omnino servire Christo, ingrediatur monasterium 15 ac religionem.' Respondi Paulum in caritatis officiis ponere veram religionem ; caritatem autem in hoc esse, ut proximis quam maxime prosimus. Reiecit hoc tan- quam imperite dictum. 'Ecce,' inquit, 'nos reliquimus omnia ; in hoc est perfectio.' 'Non reliquit' inquam 20 'omnia qui, cum possit plurimis prodesse labore suo, detrectat officium quod humilius habeatur.' Atque ita, ne lis oreretur, hominem dimisi. Vale.

Cantabrigiae postridie Simonis et Iudae.

XV. AN ENCOUNTER WITH CANOSSA

ERASMUS ROTERODAMUS GERMANO BRIXIO S.

DECREVISTI, ut video, Canossae nomen immorta- litati consecrare. Ante complures annos novi homi- nem in Anglia, sed ignotum notus. Rumor erat tum

illuc venisse legatum Pontificium Cardinalem, sed
5 cultu profano.   Invitarat me Andreas Ammonius ad
prandium.   Veni nihil suspicans insidiarum ; amabam
enim hominem familiariter.   Apud eum repperi quendam veste oblonga, sed capillis in reticulum collectis,
unico tantum famulo.   Multa fabulatus sum cum
10 Andrea, nihil omnino suspicans de Canossa.   Admirabar tamen hominis militarem ferociam, itaque
Graece percontatus sum Andream quisnam adesset.
Is respondit, 'Negotiator quidam egregius.'   Atque
ego contra, 'Talis quidem videtur,' et persuasus esse
15 negotiatorem plane neglexi hominem.   Accubitum
est.   Canossa praesedit, ego proximus.   Toto convivio
cum Andrea familiariter ex more fabulas miscui, non
dissimulans negotiatoris contemptum.   Tandem percontatus sum Andream num verus esset rumor ve-
20 nisse legatum qui iussu Leonis decimi dissidium inter
Galliarum et Angliae reges componeret ; annuebat.
'Summus' inquam 'Pontifex non eget meis consiliis;
si tamen hic me adhibuisset, aliud suasissem.'   'Quid ?'
inquit Ammonius.   'Non expediebat' inquam 'fieri
25 mentionem pacis.'   'Quamobrem ?'   'Quoniam pax'
inquam 'subito coiri non potest.   Atque interea dum
monarchae tractant de conditionibus, milites ad odo-
rem pacis peiora moliuntur quam in bello.   Per indu-
tias autem subito cohibentur militum manus.   Indu-
30 tias autem praescriberem trium annorum, quo liceret
commode de duraturi foederis legibus dispicere.'   Ap-
probavit Andreas et 'Hoc,' inquit, 'opinor, agit hic
legatus.'

His ita dissertis redii ad id quod Ammonius non
35 responderat liquido.   'Estne' inquam 'cardinalis ?'

'Unde' inquit 'tibi istuc in mentem venit?' 'Quoniam' inquam 'hoc narrant Itali.' 'Et illi' inquit
'unde norunt?' 'Hic' inquam 'te novi. Si post
annos aliquot te videam in Brabantia, quaeras unde te
agnoscerem?' Subriserunt inter sese, me ne tantulum 40
quidem etiam suspicante. Mox urgebam num revera
esset cardinalis. Tergiversatus est Ammonius. Tandem 'Est' inquit 'animo cardinalitio.' Hic ego suaviter
arridens 'Istuc aliquid est,' inquam 'gerere animum
cardinalitium.'   45

Haec aliaque multa Canossa audivit tacitus. Tandem dixit nescio quid Italice. Mox admiscuit voces
Latinas, sed sic ut posses negotiatorem ingeniosum
agnoscere. Cum nihil responderem, ad me versus dixit: 'Demiror te in hac barbara natione velle vivere, 50
nisi forte hic mavis esse solus quam Romae primus.'
Hanc argutiam demiratus in negotiatore, respondi me
vivere in ea regione quae plurimos haberet insigniter
doctos, inter quos mihi satis esset ultimum tenere
locum, cum Romae nullo in numero futurus essem. 55
Haec aliaque dixi, nonnihil iratus negotiatori. Puto
mihi tunc genium aliquem bonum adfuisse; alioqui in
summum discrimen me pertraxerat Ammonius, qui
non ignorabat quanta libertate soleam apud amicos
effutire quicquid in buccam venerit.   60

Surreximus. Andreas et ego diutius ambulavimus
in horto qui aedes dirimit, ac post diutinam confabu-
lationem officii causa produxit ad ostium terrestre
(nam ea pars domus in qua pransi fueramus, spectat
flumen Thamisin); malebam enim redire pedibus 65
quam cymba. Post aliquot dies cum redissemus in colloquium, aperit Andreas fabulae scenam, ac mecum

sedulo agit ut Canossam comiter in Italiam, plurima
testificans quam ille de me magnifice tum loqueretur
70 tum sentiret. Sed surdo canebat fabulam. At interim parum amice factum est ab Ammonio, qui non
ignorabat linguae meae loquacitatem. Poteram aliquid vel in Pontificem vel in legatum effutire, quod
mihi post fraudi fuisset.

XVI. ERASMUS' APOLOGIA PRO VITA SUA

REVERENDO PATRI SERVATIO ERASMUS S. P.

Humanissime pater, literae tuae per plurimorum
iactatae manus tandem ad me quoque pervenerunt
iam Angliam egressum; quae mihi sane voluptatem
incredibilem attulerunt, quod veterem illum tuum in
5 me animum adhuc spirant. Paucis autem respondeo,
utpote ex itinere iam scribens, et ad ea potissimum
quae tu scribis ad rem maxime pertinere. Tam varia
est hominum sententia, et suus cuique avium cantus,
ut omnibus satisfieri non possit. Ego certe hoc sum
10 animo, ut quod sit factu optimum sequi velim; testis
est mihi Deus. Nam si quid olim iuveniliter sensi, id
partim aetas, partim rerum correxit usus. Nunquam
mihi fuit consilium vel vitae genus vel cultum mutare,
non quod probarem, sed ne cui scandalo essem. Scis
15 enim me ad id vitae genus tutorum pertinacia et aliorum improbis hortatibus adactum esse magis quam
inductum; tum Cornelii Woerdeni conviciis et pudore
quodam puerili fuisse retentum, cum intellegerem mihi
hoc vitae genus haudquaquam aptum esse; nam non
20 omnibus congruunt omnia. Ieiuniorum semper impatiens fui, idque peculiari quadam corporis ratione.

Semel excitatus e somno nunquam potui redormiscere
nisi post horas aliquot. Ad literas tantum rapie-
batur animus, quarum istic nullus usus, adeo ut non
dubitem quin si in liberum aliquod vitae genus inci- 25
dissem, non solum inter felices verum etiam inter
bonos potuissem numerari.

Itaque cum intellegerem me nequaquam esse idoneum
isti generi vitae, et coactum non sponte suscepisse,
tamen quia receptum est publica nostri seculi opinione 30
piaculum esse a semel suscepto vitae genere desciscere,
decreveram et hanc infelicitatis meae partem fortiter
perpeti. Scis enim me multis in rebus infortunatum
esse. At hoc unum ceteris omnibus gravius semper
duxi, quod in huiusmodi vitae genus detrusus essem, a 35
quo cum animo tum corpore essem alienissimus : animo,
quod a caerimoniis abhorrerem et libertatis amans
essem ; corpore, quod etiamsi maxime placuisset vitae
institutum, corporis natura non ferebat eiusmodi
labores. At obiiciet mihi aliquis annum probationis 40
(ut vocant) et aetatem maturam. Ridiculum. Quasi
quis postulet ut puer anno decimo septimo, maxime in
literis educatus, norit se ipsum, quod magnum est etiam
in sene, aut anno uno id discere potuerit quod multi
cani nondum intellegunt. Quanquam ipse nunquam 45
probavi, et gustatum iam multo minus, sed iis quas
dixi rationibus sum irretitus ; tametsi fateor eum qui
vere sit bonus, in quovis vitae genere bene victurum.
Neque diffiteor me ad magna vitia fuisse propensum,
non tamen usque adeo corrupta natura quin si commo- 50
dus accessisset gubernator et vere Christianus, potuissem
ad bonam duci frugem.

Hoc igitur interim spectavi, in quo vitae genere

minime malus essem, atque id sane me assecutum puto.
55 Vixi interim inter sobrios, vixi in studiis literarum,
quae me a multis vitiis avocaverunt.   Licuit consuetudinem habere cum viris vere Christum sapientibus,
quorum colloquio factus sum melior.   Nihil enim iam
iacto de libris meis, quos fortasse vos contemnitis.   At
60 multi fatentur se redditos eorum lectione non solum
eruditiores verum etiam meliores.   Pecuniae studium
nunquam me attigit.   Famae gloria nec tantillum
tangor.   Voluptatibus, etsi quondam fui inclinatus,
nunquam servivi.   Crapulam et ebrietatem semper
65 horrui fugique.   Quoties autem cogitabam de repetendo vestro contubernio, succurrebat invidia multorum,
contemptus omnium, colloquia quam frigida, quam
inepta, quam non sapientia Christum, convivia quam
laica ; denique tota vitae ratio, cui si detraxeris caeri-
70 monias, non video quid relinquas expetendum.   Postremo succurrebat corporis imbecillitas, quae iam aetate
et morbis ac laboribus aucta est ; quae facit ut nec
vobis satisfacturus essem et me ipsum occiderem.   Iam
annis aliquot obnoxius sum calculo, gravi sane malo et
75 capitali.   Iam annis aliquot nihil bibo nisi vinum, neque
quodvis vinum, idque cogente morbo.   Non fero quemvis
cibum, nec coelum quidem quodlibet.   Nam morbus hic
facile recurrens maximam postulat vitae moderationem ;
et novi coelum Hollandicum, novi victus vestri ratio-
80 nem, ut de moribus nihil dicam.   Itaque si redissem,
nihil aliud fuissem assecutus nisi quod vobis molestiam
attulissem et mihi mortem.

Sed tu forsitan bonam felicitatis partem existimes
inter confratres emori.   At fallit et imponit ista per-
85 suasio non solum tibi verum etiam propemodum

universis.   In loco, in cultu, in victu, in caerimoniolis
quibusdam Christum et pietatem collocamus.   Actum
putamus de illo qui vestem albam commutarit in
nigram, aut qui cucullum pileo verterit, qui locum
subinde mutet.   Ausim illud dicere, magnam Christia- 90
nae pietatis perniciem ex istis quas vocant religionibus
exortam esse, tametsi pio fortassis studio primum
inductae sunt.   Deinde paulatim creverunt et in sex
milia discriminum sese sparserunt.   Accessit sum-
morum pontificum auctoritas nimium ad multa facilis 95
et indulgens.   Quid enim laxis istis religionibus con-
spurcatius aut magis impium ?   Quanto magis est e
Christi sententia totum orbem Christianum unam
domum et velut unum habere monasterium, omnes
concanonicos et confratres putare ; baptismi sacramen- 100
tum summam religionem ducere, neque spectare ubi
vivas sed quam bene vivas.   Vis me sedem stabilem
figere, quod ipsa etiam suadet senectus.   At laudatur
Solonis, Pythagorae Platonisque peregrinatio.   Vaga-
bantur et Apostoli, praecipue Paulus.   Divus Hierony- 105
mus etiam monachus nunc Romae est, nunc in Syria,
nunc in Antiochia, nunc alibi atque alibi ; et canus
etiam sacras persequitur literas.

At non sum cum hoc conferendus, fateor ; sed
tamen nunquam mutavi locum, nisi vel peste cogente, 110
vel studii causa vel valetudinis, et ubicunque vixi
(dicam enim de me ipso fortassis arrogantius, sed
tamen vere), probatus sum a probatissimis et laudatus
a laudatissimis.   Nec ulla est regio, nec Hispania, nec
Italia, nec Germania, nec Gallia, nec Anglia, nec Scotia, 115
quae me ad suum non invitet hospitium.   Et si non
probor ab omnibus (quod nec studeo), certe primis

omnium placeo. Romae nullus erat Cardinalis qui
me non tanquam fratrem acciperet, cum ipse nihil tale
120 ambirem ; praecipue vero Cardinalis Grimanus, et hic
ipse qui nunc Pontifex Maximus est, ut ne dicam de
episcopis, archidiaconis et viris eruditis. Atque hic
honos non tribuebatur opibus, quas etiam nunc non
habeo nec desidero ; non ambitioni, a qua semper fui
125 alienissimus ; sed literis duntaxat, quas nostrates
rident, Itali adorant. In Anglia nullus est episcopus
qui non gaudeat a me salutari, qui non cupiat me
convivam, qui nolit domesticum. Rex ipse paulo ante
patris obitum, cum essem in Italia, scripsit ad me
130 suapte manu literas amantissimas, nunc quoque saepe
sic de me loquitur ut nemo honorificentius, nemo
amantius ; et quoties eum saluto, blandissime com-
plectitur et oculis amicissimis obtuetur, ut intellegas
eum non minus bene de me sentire quam loqui. Et
135 saepe mandavit suo eleemosynario ut mihi de sacerdotio
prospiceret. Regina conata est me sibi praeceptorem
adsciscere. Nemo est qui nesciat me si vel paucos
menses velim in aula regis vivere, quantum libeat
sacerdotiorum mihi accumulaturum ; sed ego huic otio
140 meo et studiorum laboribus omnia posthabeo. Cantuariensis Archiepiscopus, totius Angliae primas et regni
huius Cancellarius, vir doctus et probus, me sic ample-
ctitur ut, si pater esset aut frater, non posset amantius.
Et ut intellegas hoc eum ex animo facere, dedit mihi
145 sacerdotium centum ferme nobilium, quod postea vo-
lente me in pensionem centum coronatorum mutavit,
ex mea resignatione ; ad haec dedit dono supra quad-
ringentos nobiles his pauculis annis, idque nihil
unquam petenti. Dedit uno die nobiles centum et

quinquaginta.   Ab aliis episcopis supra centum nobiles 150
accepi gratuita liberalitate oblatos.   Dominus Montioius, huius regni baro, quondam meus discipulus, dat
annue mihi pensionem centum coronatorum.   Rex et
Episcopus Lincolniensis, qui nunc per regem omnia
potest, magnifice multa promittunt.   Sunt hic duae 155
universitates, Oxonia et Cantabrigia, quarum utraque
ambit habere me ; nam Cantabrigiae menses complures
docui Graecas et sacras literas, sed gratis, et ita facere
semper decretum est.   Sunt hic collegia, in quibus
tantum est religionis, tanta vitae modestia, ut nullam 160
religionem non sis prae hac contempturus, si videas.
Est Londini dominus Ioannes Coletus, divi Pauli
Decanus, vir qui summam doctrinam cum admirabili
pietate copulavit, magnae apud omnes auctoritatis.   Is
me sic amat, id quod sciunt omnes, ut cum nemine 165
vivat libentius quam mecum ; ut omittam alios innu-
meros, ne sim bis molestus et iactantia et loquacitate.

Iam ut de operibus meis dicam aliquid, Enchiridion
opinor te legisse, quo non pauci fatentur sese ad pietatis
studium inflammatos ; nihil mihi arrogo, sed gratulor 170
Christo, si quid boni per me contigit illius dono.   Adagiorum opus ab Aldo impressum an videris nescio.
Est quidem profanum, sed ad omnem doctrinam utilissimum ; mihi certe inaestimabilibus constitit laboribus
ac vigiliis.   Edidi opus De rerum verborumque copia, 175
quod inscripsi Coleto meo, opus utilissimum contiona-
turis ; at ista contemnunt ii qui omnes bonas contemnunt literas.   His duobus annis praeter alia multa castigavi divi Hieronymi Epistolas ; adulterina et subditicia
obelis iugulavi, obscura scholiis illustravi.   Ex Graeco- 180
rum et antiquorum codicum collatione castigavi totum

Novum Testamentum, et supra mille loca annotavi
non sine fructu theologorum. Commentarios in Epistolas Pauli incepi, quos absolvam, ubi haec edidero.
185 Nam mihi decretum est in sacris immori literis. In
hisce rebus colloco otium meum et negotium. In his
magni viri dicunt me valere quod alii non valeant ;
in vestro vitae genere nihil valiturus sum. Cum multis
doctis et gravibus viris habui consuetudinem, et hic
190 et in Italia et in Gallia, sed neminem adhuc repperi
qui mihi consuluerit ut ad vos me recipiam, aut qui
hoc iudicaverit melius. Quin et ipse felicis memoriae
dominus Nicolaus Wernerus, qui te praecessit, semper
hoc mihi solitus erat dissuadere, suadens ut alicui
195 episcopo me potius adiungerem, addens se nosse et
animum meum et suorum fraterculorum mores ; nam
iis utebatur verbis lingua vernacula. Et in hoc vitae
genere in quo sum, video quae fugiam, sed quid potius
sequar non video.
200   Nunc restat ut de ornatu quoque tibi satisfaciam.
Semper antehac usus sum cultu canonicorum, et ab
Episcopo Traiectino, cum essem Lovanii, impetravi ut
sine scrupulo uterer scapulari lineo pro veste linea
integra, et capitio nigro pro pallio nigro, iuxta morem
205 Lutetiorum. Cum autem adirem Italiam videremque
toto itinere canonicos nigra veste uti cum scapulari, ne
quid offenderem novitate cultus, veste nigra illic uti
coepi cum scapulari. Postea pestis orta est Bononiae,
et illic qui curant peste laborantes linteum album
210 ex humero pendens ex more gestant ; hi congressus
hominum fugitant. Itaque cum die quodam doctum
amicum viserem, quidam nebulones eductis gladiis
parabant me invadere, et fecissent, ni matrona quaedam

admonuisset ecclesiasticum me esse. Altero item die
cum Thesaurarii filios adirem, undique cum fustibus 215
in me concurrerunt, et pessimis clamoribus adorti sunt.
Itaque a bonis viris admonitus occultavi scapulare, et
impetravi veniam a Pontifice Iulio secundo ut ornatu
religionis uterer aut non uterer, ut mihi visum esset,
modo haberem vestem sacerdotalem ; et si quid ante 220
peccatum esset ea in re, iis literis id totum condona-
vit. In Italia ergo perseveravi in veste sacerdotali, ne
mutatio esset alicui scandalo. Postquam autem in
Angliam redii, decrevi meo solito uti ornatu, et domum
accersito amico quodam primae laudis et in vita et in 225
doctrina, ostendi cultum quo uti statuissem. Rogavi
an in Anglia conveniret. Probavit, atque ita in publicum prodii. Statim admonitus sum ab aliis amicis
eum cultum in Anglia ferri non posse, ut celarem
potius. Celavi ; et quoniam non potest ita celari quin 230
aliquando deprehensus scandalum pariat, reposui in
scrinium et vetere summi Pontificis auctoritate sum
usus usque adhuc. Excommunicant Pontificiae leges
eum qui religionis habitum abiecerit, quo liberius inter seculares versetur. Ego coactus deposui in Italia, 235
ne occiderer ; deinde coactus deposui in Anglia, quia
tolerari non poterat, cum ipse multo maluerim uti.
At nunc denuo recipere plus gigneret scandali quam
mutatio ipsa gignebat.

Habes universam vitae meae rationem, habes meum 240
consilium. Cupio et hoc vitae genus mutare, si quod
videro melius. Sed in Hollandia quid agam non video. Scio non conventurum cum coelo neque cum
victu ; omnium oculos in me excitabo. Redibo senex
et canus, qui iuvenis exivi, redibo valetudinarius ; 245

exponar contemptui etiam infimorum, solitus et a maximis honorari. Studia mea compotationibus permutabo.
Nam quod polliceris officium tuum in quaerenda sede,
ubi cum maximo, ut scribis, vivam emolumento ; quid
250 sit, non possum coniectare, nisi forte collocabis me
apud monachas aliquas, ut serviam mulieribus, qui
nec archiepiscopis nec regibus unquam servire volui.
Emolumentum nihil moror ; neque enim studeo dite-
scere, modo tantum sit fortunae ut valetudini et otio
255 literarum suppetat, et vivam nulli gravis.   Atque
utinam liceat hisce de rebus coram inter nos com-
mentari ; nam literis nec satis commode nec satis tuto
licet.   Tuae enim quanquam per certissimos missae sic
tamen aberrarant, ut nisi ipse casu me in arcem hanc
260 contulissem, nunquam fuerim visurus ; et accepi iam a
compluribus ante inspectas.   Quare ne quid scripseris
arcani, ni certo cognoveris ubi locorum sim et nuntium nactus sis fidissimum.   Peto nunc Germaniam, id
est Basileam, editurus lucubrationes meas, hac hieme
265 fortassis futurus Romae.   In reditu dabo operam ut
pariter colloquamur alicubi.   Sed nunc aestas ferme
praeteriit et longum est iter.   Literas tuas tertio a
Pascha die scriptas accepi Nonis Iuliis.   Rogo ut
salutem meam tuis piis votis Christo commendare ne
270 neglegas.   Cui si certo scirem rectius fore consultum,
si ad vestrum redierim contubernium, hac die ad iter
accingerer.   Bene vale, quondam sodalis suavissime,
nunc pater observande.

    Ex arce Hammensi iuxta Calecium postridie Nonas
275 Iulias Anno 1514,

XVII.   ERASMUS' RECEPTION AT BASEL

DESIDERIUS ERASMUS ROTERODAMUS IACOBO WIMPHELINGO,
   GERMANUS GERMANO, THEOLOGUS THEOLOGO, LITERA-
   RUM SCIENTISSIMO LITERARUM SITIENTISSIMUS S. D.

IAM quod scire cupis quomodo reliquum iter succes-
serit, paucis accipe. Ad oppidum Selestadiense, tuam
patriam, feliciter perveni.   Ibi continuo primores
reipublicae haud scio cuius indicio de meo adventu
facti certiores, per publicum nuntium tres exquisitis- 5
simi vini misere cantharos xenii nomine.   Invitarunt
ad prandium in diem posterum ; verum excusavi,
properans ad hoc negotium in quo nunc sum.   Ioannes
Sapidus, tuus in literis alumnus, qui te moribus
quoque mire refert quique te non secus ac patrem et 10
amat et suspicit, Basileam usque nos est prosecutus.
Illic admonueram hominem ne me proderet : delectari
me paucis amiculis sed exquisitis ac delectis.   Primum
itaque non aderant alii quam ii quos maxime volebam,
Beatus Rhenanus, cuius ego prudenti modestia et 15
acerrimo in literis iudicio vehementer delector, nec est
quicquam huius cotidiana consuetudine mihi iucundius:
item Gerardus Listrius, medicae rei non vulgariter
peritus, ad haec Latinae, Graecae et Hebraicae literaturae pulchre gnarus, denique iuvenis ad me 20
amandum natus : ad haec Bruno Amorbachius singulari
doctrina, trilinguis et hic.   Ioanni Frobenio reddidi
literas ab Erasmo missas, addens esse mihi cum eo
familiaritatem arctissimam : ab eodem de edendis illius
lucubrationibus negotii summam mihi commissam : 25
quicquid egissem, id perinde ut ab Erasmo gestum

ratum fore: denique me illi adeo similem ut qui me
videret Erasmum videret. Is postea risit intellecta
fraude. Socer Frobenii, resolutis omnibus quae debe-
30 bantur in diversorio, nos una cum equis ac sarcinis
in suas aedes traduxit. Post biduum huius academiae
doctores per theologicae professionis decanum et alterum quendam in posterum diem nos ad cenam voca-
runt. Aderant omnes omnium facultatum, ut vocant,
35 doctores. Erant me cotidianis officiis oneraturi, ni iam
accinctus ad laborem institutum rogassem uti me mihi
relinquerent.

Audio passim apud Germanos esse viros eleganter
eruditos, quo mihi magis ac magis arridet et adlubescit
40 mihi mea Germania; quam piget ac pudet tam sero
cognitam fuisse. Proinde facile possum adduci ut hic
hiemem usque ad Idus Martias. Deinde confectis
quae volo in Italia negotiis ad Idus Maias vos
revisam. Atque id faciam lubentius, si velut de
45 eodem quod aiunt oleo eademque opera universas
lucubrationes meas hibernis his mensibus liceat
emittere. Adagiorum opus iam excudi coeptum est.
Superest Novum Testamentum a me versum et e
regione Graecum una cum nostris in illud annota-
50 mentis. Tum epistolae divi Hieronymi a nobis
recognitae et a supposititiis ac nothis repurgatae, necnon
et scholiis nostris illustratae. Praeterea Senecae
oratoris omnia scripta non sine maximis sudoribus
a nobis emaculata. Fortassis et scholiorum nonnihil
55 adiciemus, si dabitur otium. Sunt et alia minutula,
de quibus minus solliciti sumus. Quae si suscipiet
hic chalcographus, abdemus nos testudinum ritu, non
ad somnum sed ut toti versemur in hoc negotio. Ex

Italia reduces, uti spero, dies aliquot salutandis et
cognoscendis Germaniae proceribus sumemus. Nam 60
hos vere proceres existimo non qui funes aureos collo
circumferunt quique parietes et vestibula pictis maiorum
imaginibus ornant, sed qui veris ac suis bonis, hoc est
eruditione, moribus, eloquentia, patriam suam ac suos
non solum illustrant sed etiam adiuvant.   65

XVIII. BISHOP FISHER

ERASMUS REUCHLINO SUO S. D.

NULLO sermone consequi queam quo studio, qua
veneratione, tuum nomen prosequatur magnus ille
literarum ac pietatis antistes, Episcopus Roffensis;
adeo ut cum antehac plurimi fecerit Erasmum, nunc
admiratione Reuchlini paene contemnat: quae res 5
adeo me nulla urit invidia, ut vehementer etiam
gaudeam proque mea virili currentem, quod aiunt,
exstimulem.   Nullas ad me dat literas (scribit autem
crebrius) in quibus non faciat honorificentissimam tui
mentionem. Decreverat posito cultu episcopali, hoc 10
est linea veste qua semper utuntur in Anglia nisi cum
venantur, traicere, hac praecipue causa impulsus quo
tecum colloqui liceret ; tanta habet hominem discendi
tuique sitis. Atque hac lege nos ad navim proper-
antes decem apud sese dies detinuit, ut una traiceremus. 15
Verum incidit postea cur mutaret consilium ; at, si
rem distulit, animi propositum non mutavit.   In
extremo digressu sollicite me rogavit qua re posset tibi
gratum facere. Respondi tuam fortunam non esse
eiusmodi ut magnopere egeres pecunia, verum si 20
mitteret annulum aut vestem aut aliud eiusmodi quod

ceu sui monumentum posses amplecti, id fore gratis-
simum. Respondit se nihil laborare quanti constaret,
modo tibi gratum esset. Collaudavi hominis animum ;
25 suspicor eum brevi ad te venturum. Interim fac
scribas mihi quid tibi potissimum mitti cupias ; nullis
ille parsurus est sumptibus. Sensi illum avidissimum
calamorum Niloticorum, cuiusmodi mihi tres donasti ;
proinde si tibi sunt aliquot, nullum munus gratius
30 mittere possis. Non gravaberis eum crebris appellare
literis, et item Coletum. Uterque tui studiosissimus
est, uterque talis est, ut etiam si nulla speraretur
utilitas, tamen ob egregias quibus praediti sunt virtutes
et animum in te propensum, digni essent amore mutuo.
35 Nunc ambo summam apud suos obtinent auctoritatem :
Coletus etiam regiae maiestati intimus est et ad
privatissimum colloquium quoties vult admittitur.

Leo summus pontifex ad meam epistolam quam
excusam legisti diligenter respondit ; nec minus amanter
40 quam diligenter adiecit alterum Breve, quo me sua
sponte Regi Anglorum commendavit haudquaquam
more vulgari ; atque id nominatim adiecit, se id sua
sponte facere nec a me nec a quoquam ut id faceret
rogatum. Responderat uterque Cardinalis ; verum
45 hae literae in Germaniam missae sunt ad Richardum
Paceum, hominem egregie doctum, qui nunc apud
Helvetios oratorem gerit. Quin et Pontificis Brevia
mihi non ante sunt reddita quam in Angliam redii ;
quae si tempore fuissent reddita, fortasse et Hiero-
50 nymum Leoni dedicassem. Mihi vixdum in Brabantiam
reverso illustrissimus princeps meus Carolus praebendam donavit satis et honorificam et copiosam.

Revisi Britanniam salutaturus Maecenates meos et

amicos veteres ; repperi multo nostri quam reliqueram
amantiores.   Archiepiscopus cum semper amaret 55
unice, nunc tantum adiunxit veteri in me studio ut
ante parum amasse videri possit.   Omnia sua mihi
detulit ; recusavi pecuniam.   Abeunti donavit equum
et calicem cum operculo elegantissimum inauratum,
pollicitus apud mensarios pecuniam quantam iussero se 60
depositurum.   Novum Testamentum plurimos amicos
mihi conciliavit ubique, tametsi nonnulli strenue
reclamarint, praesertim initio ; sed hi in absentem
tantum et ferme tales ut nec legerint opus meum et, si
legerint, non intellecturi.   65

Scribe ad nos frequenter, doctissime Reuchline.
Quicquid Antuerpiam miseris ad Petrum Aegidium,
scribam publicum, id mihi certo reddetur.   Bene vale,
Germaniae decus.

Si Philippum iuvenem ad Roffensem miseris tuis 70
commendatum literis, mihi crede, tractabitur humanissime et ad amplissimam fortunam provehetur ; nec
usquam continget plus otii ad optimas literas.   Fortassis ille sitit Italiam.   At his temporibus Italiam
habet Anglia et, ni plane fallor, quiddam Italia 75
praestantius.   Rursum vale.

Calecii vi Kalendas Septembres.

XIX. A JOURNEY FROM BASEL TO
LOUVAIN

ERASMUS RHENANO SUO S. D.

ACCIPE, mi Beate, totam itineris mei tragico-
comoediam.   Mollis etiamnum ac languidulus, ut scis,
Basileam relinquebam, ut qui nondum cum coelo
redissem in gratiam, cum tamdiu domi delituissem,

5 idque perpetuis laboribus distentus. Navigatio fuit
non inamoena, nisi quod circa meridiem solis aestus
erat submolestus. Brisaci pransi sumus, sed ita ut
nunquam insuavius. Nidor enecabat, tum nidore
graviores muscae. Desedimus plus semihoram ad
10 mensam otiosi, donec adornarent scilicet illi suas
epulas. Tandem nihil appositum est quod edi posset ;
sordidae pultes, offae, salsamenta non semel recocta,
merae nauseae. Gallinarium non adii. Qui hunc
renuntiavit teneri febri, bellum quiddam adiecit ;
15 Minoritam illum theologum, quicum mihi fuerat
concertatio, sacros calices oppignerasse suo iure. O
Scoticam subtilitatem ! Sub noctem eiecti sumus
in vicum quendam frigidum ; cuius nomen nec libuit
scire nec, si sciam, velim edere. Illic paene exstinctus
20 sum. In hypocausto non magno cenavimus plus
opinor sexaginta, promiscua hominum colluvies, idque
ad horam ferme decimam: o qui fetor, qui clamor,
praesertim ubi iam incaluerant vino ! Et tamen ad
illorum clepsydras erat desidendum.
25   Mane multa adhuc nocte e stratis exturbamur
clamore nautarum. Ego et incenatus et insomnis
navim ingredior. Argentinam appulimus ante prandium ad horam ferme nonam ; illic commodius accepti
sumus, praesertim Schurerio suppeditante vinum.
30 Aderat aliqua sodalitatis pars, mox universi salutatum
veniunt, sed nemo officiosius Gerbelio. Gebuilerius et
Rudalphingius me immunem esse voluerunt ; quod
iam illis novum non est. Illinc equis Spiram usque
contendimus ; neque usquam militis umbram vidimus,
35 cum rumor atrocia sparsisset. Anglus equus plane
defecit vixque Spiram attigit ; sic eum tractaverat

sceleratus iste faber, ut illi ambae aures ferro candenti
inurerentur.   Spirae furtim subduxi me e diversorio,
et ad Maternum meum vicinum me recipio.   Illic
Decanus, vir doctus et humanus, suaviter et comiter 40
nos biduum accepit.   Hic forte fortuna Hermanum
Buschium repperimus.

Illinc curru vectus sum Wormaciam, atque hinc
rursus Maguntiam.   Forte in eundem currum inciderat
quidam Caesaris secretarius, Ulrichus cognomento 45
Farnbul.   Is incredibili studio tum itinere toto me
observavit, tum Maguntiae non passus ingredi diversorium ad aedes canonici cuiusdam pertraxit: abeuntem
ad navem deduxit.   Navigatio non fuit inamoena, ob
coeli commoditatem, nisi quod longior erat, nautarum 50
studio.   Ad haec offendebat equorum paedor.   Comi-
tati sunt me primum diem officii gratia Ioannes
Longicampianus qui pridem Lovanii professus est: et
huius amicus iureconsultus quidam.   Aderat et Wes-
phalus quidam dominus Ioannes, canonicus apud San- 55
ctum Victorem extra Maguntiam, homo commodissimus
ac festivissimus.

Ubi Popardiam appulimus, nosque, dum exploratur
navis, in ripa deambulabamus, nescio quis agnitum
me telonae prodidit.   Telones est Christophorus, ni 60
fallor, Cinicampius, vulgato verbo Eschenfelder.   Incredibile dictu quam gestierit homo prae gaudio.
Pertrahit in aedes suas.   In mensula inter syngraphas
telonicas iacebant Erasmi libelli.   Beatum se clamitat,
advocat liberos, advocat uxorem, advocat amicos 65
omnes.   Interim nautis vociferantibus mittit duos
vini cantharos, rursum vociferantibus mittit alteros,
pollicitus ubi redierint se illis vectigal remissurum,

qui talem virum sibi advexerint. Hinc officii gratia
70 comitatus est nos Confluentiam usque dominus Ioannes
Flaminius, virginibus sacris illic praefectus, vir ange-
licae puritatis, iudicii sobrii sanique, doctrinae non
vulgaris. Confluentiae dominus Matthias, officialis
episcopi, nos domum suam rapit, homo iuvenis sed
75 moribus compositis ; Latini sermonis exacte peritus,
tum iureconsultissimus. Illic cenatum est hilariter.

Apud Bonnam nos reliquit ille canonicus, vitans
urbem Coloniensem ; quam et ipse vitare cupiebam,
sed minister cum equis eo praecesserat, neque
80 quisquam erat in navi certus, cui de ministro revo-
cando negotium committere potuissem : et nautis
diffidebam. Mane itaque ante sextam Agrippinam
appulimus die Dominico, coelo iam pestilenti. Diversorium ingressus mando hospitii ministris de condu-
85 cenda biga, et cibum ad decimam parari iubeo. Audio
sacrum, prandium differtur. De biga non successit.
Tentatur de equo conducendo ; nam mei erant inutiles.
Nihil succedit. Sensi id quod erat. Agebatur ut illic
haererem. Ego protinus iubeo meos adornari equos,
90 imponi alteram manticam, alteram hospiti committo, et
claudo meo equo ad Comitem Novae aquilae percurro :
est autem iter horarum quinque. Is agebat Bedburii.

Apud hunc suavissime quinque dies sum commora-
tus tanta tranquillitate et otio, ut bonam recognitionis
95 partem apud eum peregerim ; nam eam Novi Testa-
menti partem mecum abduxeram. Utinam hominem
nosses, mi Beate. Iuvenis est, sed rara et plusquam
senili prudentia, pauciloquus, sed quod de Menelao
praedicat Homerus, argute loquitur, imo cordate, citra
100 ostentationem doctus non in uno studiorum genere

tantum, totus candidus et amico amicus. Iam firmus
eram ac robustulus, iam mihi pulchre placebam, ac fore
sperabam ut validus Episcopum inviserem Leodiensem
et alacrem me redderem amicis Brabanticis. Quae
convivia, quas gratulationes, quas confabulationes 105
mihi promittebam. Decreveram, si vernasset autu-
mnus, Angliam adire, et quod rex iam toties offert,
accipere. Sed o fallaces mortalium spes! o subitas
et inopinatas rerum humanarum vices! E tantis
felicitatum somniis in extremum exitium praecipitatus 110
sum.

Iam in posterum diem erat conducta biga. Comes
nolens mihi ante noctem valedicere, praedicavit se
ante abitum mane visurum me. Ea nocte saeva
quaedam venti tempestas coorta est, quae et ante 115
diem proximum praecesserat. Ego nihilo secius surgo
post noctis medium, annotaturus quaedam Comiti;
cumque iam esset hora septima, nec prodiret Comes,
iubeo illum excitari. Venit et, ut est modestissimo
pudore praeditus, rogat num esset sententia discedere 120
coelo tam incommodo; se mihi timere. Ibi, mi Beate,
Iupiter nescio quis aut malus genius, non dimidium
mentis, ut ait Hesiodus, sed totam mentem ademit;
nam dimidium mentis ademerat, cum Coloniae me
committerem. Atque utinam aut ille acrius amicum 125
commonuisset, aut ego verecundis sed amicissimis
monitis obsequentior fuissem. Rapit me fati vis.
Quid enim aliud dicam?

    Conscendo bigam non tectam, flante vento
                quantus altis montibus   130
      Frangit trementes ilices.

Auster erat, neque quicquam praeter meras pestes

spirabat. Ego mihi vestibus probe tectus videbar, sed
ille violentia sua nihil non penetrabat. Successit
135 sub noctem pluviola, vento suo pestilentior. Venio
Aquisgranum lassulus ob quassationem bigae, quae
mihi in via saxis constrata tam erat gravis, ut equo
quamlibet claudo maluerim insidere. Hic per cano-
nicum quendam, cui me Comes commendarat, rapior
140 e diversorio ad aedes cantoris. Ibi ex more convivium
agitabant aliquot canonici. Mihi prandium tenuis-
simum acuerat stomachum ; sed apud hos tum nihil
erat praeter carpas, easque frigidas. Expleo me. Cum
in multam noctem (nam serius accubuerant) cena pro-
145 ferretur fabulis, ego petita venia cubitum abeo, quod
proxima nocte minimum dormieram.

Postridie pertrahor ad aedes Vicepraepositi ; nam
ad illum redibat periodus. Ibi cum praeter anguillam
nihil esset piscium,—nimirum tempestas fuerat in
150 culpa, cum ipse sit alioqui splendidus convivator—,
expleo me pisce durato ventis, quem a baculo quo
contunditur, Germani stockfisch vocant : nam eo
alioqui satis delector ; sed comperi partem huius adhuc
crudam fuisse. A prandio, quoniam coelum erat
155 pestilentissimum, in diversorium me confero. Iubeo
excitari foculum. Confabulatur mecum canonicus ille,
vir humanissimus, ferme sesquihoram. Deinde pactus
cum auriga de manticis, rursus invitor ad cenam.
Excuso, non proficio. Apparatus tum erat praelautus,
160 sed mihi frustra. Ubi confovissem stomachum sorbitiuncula, domum me confero ; dormiebam enim apud
cantorem. Egredior ; ibi corpus inane mire ad noctur-
num coelum inhorruit. Nox gravis fuit.

Postridie mane rursus hausta cervisiola tepida cum

paucis micis panis, equum conscendo morbidum et 165
claudum ; quo fuit incommodior equitatio. Iam sic
affectus eram, ut magis conveniret lecto confoveri
quam equo insidere. Sed ea regio non parum habet
rusticitatis, commoditatis aut elegantiae minimum, et
illic mihi ne valere quidem satis esset commodum, 170
nedum aegrotare : quo magis libebat effugere.
Latronum periculum (nam ibi summum erat) aut
certe metum extudit morbi molestia. Confectis eo
cursu quatuor passuum milibus perventum est ad
Mosae traiectum. Illic sorbitiuncula utcunque confoto 175
stomacho, rursus inscensis equis Tongros adeo. Id oppidum abest tribus milibus passuum. Haec postrema
equitatio mihi longe gravissima fuit. Incommodus
incessus equi mire torquebat renes. Tolerabilius am-
bulabam pedibus, sed metuebam sudorem, et periculum 180
erat ne nox in agris nos occupasset ; itaque incredibili
totius corporis cruciatu Tongros pervenio.

Iam ob inediam ac laborem inediae additum omnes
corporis nervi defecerant ; adeo ut nec firmus esset
status aut incessus. Lingua—nam ea valebat—dis- 185
simulabam morbi magnitudinem. Hic cervisiaria
sorbitiuncula foto stomacho cubitum eo. Mane iubeo
conduci bigam ˙tectam. Mihi visum est ob silices
equo insidere, donec ad terrenam viam esset ventum.
Conscendo maiorem equum, quod is commodius iret 190
per saxa et pedibus certioribus. Vix conscenderam,
contactus coelo frigido sentio oboriri glaucoma, posco
pallium. Sed mox syncopis successit. Vel manu
contacta poteram excitari. Ibi meus Ioannes cum
ceteris astantibus passi sunt in equo sedentem mea 195
sponte expergisci. Experrectus bigam ascendo.

Iam eramus vicini oppido divi Trudonis. Rursus
inscendo equum, ne biga vectus viderer aegrotus.
Rursus coelo vespertino offensus nauseo, sed citra
200 syncopim. Offero duplum precium bigario, ut me
postridie vehat usque ad Tenas. Id oppidum abest
a Tongris sex milibus passuum. Accipit conditionem.
Hic hospes mihi notus narrat quam graviter tulerit
Episcopus Leodiensis, quod se insalutato discessissem
205 Basileam petens. Confoto stomacho sorbitiuncula eo
cubitum. Hic forte quadrigam nactus, quae Lovanium
peteret (aberat autem sex milibus passuum), in eam
me conicio. Incredibili molestia vectus sum, ac paene
intolerabili, sed tamen eo die ad horam septimam
210 pervenimus Lovanium.

Non erat sententia petere meum cubiculum, vel
quod suspicabar illic frigere omnia, vel quod nolebam
committere ut, si pestis rumor ex me fuisset ortus,
collegii commodis aliquo pacto officerem. Ad Theo-
215 doricum typographum diverto, amicum sincerum.
Ea nocte eruperat inscio me maximum ulcus, iamque
dolor conquieverat. Postridie accerso chirurgum.
Apponit malagmata. Iam novum ulcus accesserat in
tergo, quod minister fecerat Tongris, dum ob renum
220 dolorem ungens me oleo rosaceo, digito calloso durius
fricat costam quandam. Id post exulceratum est.
Abiens chirurgus clam dicit Theodorico et famulo
pestem esse ; missurum quidem malagmata se, non
venturum autem ipsum ad me. Accerso medicos,
225 negant quicquam esse morbi : rursum alios consulo,
idem affirmant. Accerso Hebraeum, is optabat tale
corpus suum quale meum esset.

Cum non rediret uno atque altero die chirurgus,

rogo Theodoricum quid sit in causa. Excusat ille
nescio quid. At ego rem suspicans 'Quid?' inquam, 230
'Num iudicat esse pestem?' 'Hoc ipsum' inquit
'constanter affirmat; tres esse carbunculos.' Risi
satis, nec ullam pestis imaginationem demitto in
animum. Post dies aliquot venit chirurgi pater,
inspicit, idem iudicat, et in os asseverat germanam 235
esse pestem? Nec sic quidem mihi persuaderi potuit.
Accerso clam alterum chirurgum magni nominis.
Inspicit; is vero, ut erat homo rusticior, 'Non vererer'
inquit, 'tecum cubare'; idem sentiebat Hebraeus.
Accerso medicum quendam, cui plurimum tribuunt 240
Lovanii; nam hic bonos esse medicos admodum est
rarum. Rogo numquid mali portenderet corpus;
negat. Narro de ulceribus, addens argumenta, quibus
colligerem non esse pestem. Ulcera non erant nova
neque sponte nata. Nulla febris, nullus insignis capitis 245
dolor nisi ob iactionem, nulla somnolentia, palatum perpetuo sanissimum.

Cetera sat fortiter audierat. At simul atque ulcerum
mentio facta est, sensi hominem pertimescere. Do
medico coronatum aureum, pollicitus est se post 250
prandium ad me rediturum. Is territus ex oratione
mittit ministrum. Reicio; et iratus medicis Christo
medico me commendo. Stomachus intra triduum
restitutus est, hausto pullo gallinaceo contuso, et
cyatho vini Belnensis. Hic protinus ad studii quoque 255
laborem reversus, absolvo quod deerat in Novo
Testamento.

Apud Theodoricum curatus fere quatuor hebdo
madis, in cubiculum meum remigravi. Semel duntaxat ad proximum templum exii sacri gratia, nondum 260

sat firmis viribus. Si pestis fuit, pestem eam labore
et incommoditate animique robore depuli: quando
saepenumero magna morbi pars est morbi imaginatio.
Ab adventu protinus edixeram ne quis me adiret,
265 nisi nominatim accitus, ne vel ego cuiquam essem
terrori vel mihi quisquam officio suo molestus: tamen
irrupit Dorpius omnium primus; mox Atensis, Marcus
Laurinus et Paschasius Berselius, qui cotidie aderant,
mihi bonam morbi partem ademerunt mellitissima
270 consuetudine sua.

Mi Beate, quis crederet hoc corpusculum exile,
delicatum, atque etiam aetate iam imbecillius, post
tot itinerum labores, post tot studiorum sudores, tot
etiam morbis suffecturum? Scis enim quam graviter
275 paulo ante laborarim Basileae, idque non semel.
Nonnulla suspicio tangebat animum meum, eum
annum mihi fore fatalem; adeo malo malum succe-
debat, semperque gravius. Ego vero tum etiam cum
maxime morbus urgebat, sic eram affectus ut nec
280 vitae desiderio cruciarer nec mortis metu trepidarem.
In uno Christo tota spes erat, a quo nihil aliud
precabar, nisi ut daret quod mihi saluberrimum esse
iudicaret. Iuvenis olim, ut memini, ad nomen etiam
mortis solebam inhorrescere. Hoc certe profeci acces-
285 sione aetatis, mortem leviter metuo, neque metior
hominis felicitatem longaevitate. Annum excessi
quinquagesimum, ad quem cum ex tam multis tam
pauci perveniant, iure queri non possum me parum
diu vixisse: deinde si quid hoc ad rem pertinet, iam
290 nunc paratum est monimentum, quo posteris tester
me vixisse. Et fortassis a rogo, quemadmodum poetae
loquuntur, ut consilescet livor, ita magis elucescet

gloria : quanquam non convenit ut Christianum pectus
tangat humana gloria : utinam ea contingat gloria ut
Christo probemur.   295

Bene vale, Beate carissime.   Cetera cognosces ex
literis ad Capitonem.   Lovanii.   Anno M. D. XVIII.

XX. ENGLISH UNIVERSITIES

CLARISSIMO BARONI GULIELMO MONTIOIO ERASMUS
ROTERODAMUS S. D.

UNICE Maecenas, antehac gratulatus sum Angliae
tuae, quae tot haberet viros egregia probitate parique
doctrina praeditos : nunc propemodum invidere incipio,
quae sic efflorescat omni genere studiorum, ut omnibus
regionibus laudem praeripiat ac paene tenebras offundat. 5
Quanquam ista laus haud ita nova est vestrae insulae,
in qua constat et olim eximios viros exstitisse. Declarant
id vel academiae vestrae, quae vetustate nobilitateque
cum vetustissimis ac celeberrimis certant.   Deamo
Richardum episcopum Wintoniensem, qui magnifi- 10
centissimum collegium suo sumptu proprie dicavit
bonis literis. Magis autem exosculor egregium ac
prorsus heroicum animum Thomae Cardinalis Eboracensis, cuius prudentia schola Oxoniensis non solum
omni linguarum ac studiorum genere, verum et 15
moribus qui deceant optima studia, condecorabitur.
Nam Cantabrigiensis academia iampridem omnibus
floret ornamentis, praeside Ioanne episcopo Roffensi,
qui nulla in parte non egregium agit praesulem.

Ceterum huius laudis praecipua portio regio pectori, 20
velut horum consiliorum fonti, debetur. Cum tot
regnis ac regibus altissima pax est atque, ut augurari

libet, aeterna. Pelluntur nocentes, vigent bonae leges,
evehuntur optimae literae. Rex ipse hisce rebus
25 omnibus non solum auctor est ac dux, verum etiam
exemplum, primus ipse praestans quod praescribit.
Nulli mortalium magis ex animo bene volo quam tibi ;
et tamen parum abest quin invideam tuae celsitudini,
quae tantis bonis fruatur sine me quondam commodorum
30 et incommodorum socio. Quodque gravius est, interim
dum tu tot nominibus felix es, mihi cum taeterrimis
quibusdam non hominibus sed portentis conflictandum ;
in quo mehercle lubens experirer quid posset eloquentia,
ni me Christianus pudor, ceu Pallas quaepiam Homerica,
35 iam capulo manum admoventem capillos vellicans
revocaret. Bene vale.

Antuuerpiae, Anno M. D. XIX. Calendis Maiis.

XXI. AN EXPLOSION AT BASEL

ERASMUS ROTERODAMUS NICOLAO VARIO MARVILLANO S.

Multa quidem nova cotidie nobis gignit hic Africa
nostra, Nicolae carissime ; sed quaedam eius sunt
generis, ut nec tibi gratum arbitrer futurum legere nec
mihi tutum scribere. Quod nuper accidit accipe. Ad
5 duodecimum Calendas Octobris, evocatus amoenitate
coeli, secesseram in hortum, quem Ioannes Frobenius
satis amplum et elegantem meo commercatus est hor-
tatu. Nam ibi soleo pomeridianis aliquot horis vel
somnum obrepentem arcere vel assiduitatis taedium
10 fallere, si quando invitat aeris temperies. Post deam-
bulatiunculam conscenderam domunculam hortensem,
iamque coeperam aliquid ex Chrysostomo vertere, cum
interim vitreas fenestras ferit fulmen, sed tacitum ac
lene. Primum suspicabar oculorum esse errorem.

Cum rursus semel atque iterum effulsisset, demiror ac 15
prospicio si se vertisset coelum, contractisque nubibus
pluviam ac tempestatem minaretur. Ubi nihil video
periculi, ad librum redeo. Mox auditur sonitus, sed
obtusior. Ad eum modum poetae narrant Iovem lu-
dere, si quando est hilarior ; siquidem longe aliud 20
fulminis genus erat quo gigantum moles disiecit ac
Salmonea et Ixionem demisit in Tartara. Paulo post
emicat plus fulgoris, et audio fragorem horribilem,
cuiusmodi fere crepitus audiri solet, si quando fulminis
ictus impegit se vehementius in aliquid solidum.   25

Etenim cum agerem Florentiae eo tempore quo Iulius
Pontifex, terrenus Iuppiter, tonabat ac fulminabat adversus Bononiam, magnam diei partem et tonabat
vehementer et fulminabat, magnaque vis imbrium
ruebat. Cum horribilis fragor insonuisset, territus 30
subduxi me et ad ceteros redii. 'Aut me plane fallit'
inquam ' animus, aut post hunc crepitum audietis
aliquid parum laeti nuntii.' Et ecce non ita multo
post, venit chirurgus nuntians in collegio virginum
tres ictas ; quarum una mox exanimata est, altera 35
propemodum exstincta, tertia sic afflicta ut negaret
esse spem vitae.

Ad similem itaque sonitum surrexi et prospicio quae
sit coeli facies. Ad laevam erat serenitas, ad dexte-
ram conspicio novam nubis speciem, velut e terra sese 40
proferentis in sublime, colore propemodum cinericio,
cuius cacumen velut inflexum sese demittebat. Dixisses
scopulum quempiam esse vertice nutantem in mare.
Quo contemplor attentius, hoc minus videbatur nubi similis. Dum ad hoc spectaculum stupeo, accurrit famu- 45
lorum unus quem domi reliqueram, anhelus, admonens

ut subito me domum recipiam ; civitatem armatam in
tumultu esse. Nam is mos est huic reipublicae, ut
sicubi fuerit exortum incendium, confestim armati
50 procurrant ad tuendas portas ac moenia. Nec satis
tutum est armatis occurrere ; ferrum enim addit ferociam animis, praesertim ubi nihil est periculi. Hortus
autem in quo studebam erat pone moenia. Recurro
domum, multis obviis armatis. Aliquanto post rem
55 totam didicimus, quae sic habebat.

Paucis ante diebus in unam turrim earum quibus
moenia ex intervallis muniuntur, delata fuerant aliquot vasa pulveris bombardici. Ea cum magistratus
iussisset reponi in summa camera turris, nescio quo-
60 rum incuria reposita sunt in imam turrim. Quod si
vis pulveris in summo fuisset, tectum modo sustulisset
in aera, reliquis innocuis. Ac miro casu per rimas
illas speculatorias fulmen illapsum attigit pulverem,
moxque vasa omnia corripuit incendium. Primum
65 impetus incendii tentavit an esset oneri ferendo posset-
que totam molem in altum tollere. Idque testantur
qui viderunt turrim iuxta partes imas hiantem semel
atque iterum, sed rursus in se coeuntem. Ubi vis
ignis sensit molem esse graviorem quam ut totam
70 posset subvehere, eo conatu relicto totam turrim in
quatuor partes immani crepitu dissecuit, sed tanta
aequalitate ut amussi geometrica factum videri posset,
ac per aera aliam alio sparsit. Ipse pulvis accensus in
altum se recepit, qui flamma consumpta cinericiae
75 nubis praebebat speciem. Vidisses immania frag-
menta turris, avium ritu, volitare per aera ; quaedam
ad ducentos passus deferri, qua dabatur liberum aeris
spatium ; alia civium domos longo tractu demoliri.

Non procul a turri magistratus curarat exstruendas
aediculas quasdam.   Hae lateris unius impetum exce- 80
pere.   Tantus autem erat fragor tamque subitus, ut
qui erant in propinquo putarent rupto coelo mundum
in chaos abiturum.   Nec ridiculum putabatur quod
vulgo dici solet: Quid si coelum ruat?   In agris multi
sunt ruina oppressi, multi sic membris vel truncati vel 85
afflicti ut miserandum spectaculum praeberent obviis :
e quibus aiunt exstinctos numero duodecim, misere
vexatos quatuordecim.   Sunt qui credant hoc ostento
quiddam portendi in futurum ; ego nihil aliud arbitror significari quam incogitantiam eorum qui casum 90
eum non usque adeo rarum non praecaverint.   Nec
mirum si pulvis ille levissimus disiecit saxeum aedi-
ficium : etiam si turrim eam undique ducentorum
pedum cinxisset paries, ignis ille subitus ac vehemens
disiectis obstaculis omnibus erupisset in suum locum. 95
Quid autem vento mollius ?   Et tamen inclusus terrae
cavis Boreas nonne montes totos concutit, terram
hiatu diducit, et interdum campos spatiosos in collem
erigit ?

Quis hoc machinarum genus excogitavit? Olim artes 100
ad humanae vitae usum repertas diis attribuit antiqui-
tas, veluti medicinam Apollini, agricolationem Cereri,
vitis culturam Baccho, furandi artificium Mercurio.
Huius inventi laudem non puto cuiquam deberi, nisi
vehementer ingenioso cuipiam, nec minus scelerato 105
cacodaemoni.   Si quid tale comminisci potuisset Salmoneus ille, potuisset vel ipsi Iovi medium unguem
ostendere.   Et tamen hic nunc Christianorum atque
adeo puerorum lusus est.   In tantum apud nos decrescit
humanitas, accrescit immanitas.   110

Olim Corybantes tympanorum et tibiarum strepitu homines compellebant in rabiem. Habet enim ille sonitus miram vim ad commovendos animos. At horribilius sonant nostra tympana, nunc anapaestis, nunc 115 pyrrhichiis perstrepentia. At his nunc pro tubis Christiani utimur in bello, quasi illic non satis sit esse fortem, sed oporteat furere. Quid autem dixi de bello? Utimur in nuptiis, utimur diebus festis, utimur in templis. Ad furiosum illum sonitum procurrunt in 120 publicum virgines, saltat nova nupta, ornatur festi diei celebritas, qui tum est maxime laetus, si toto die per urbem obambulat plusquam Corybanticus tumultus. At ego arbitror apud inferos non alio organo celebrari dies festos, si modo sunt illic ulli. Plato 125 putat magni referre quo genere musices uteretur civitas, quid dicturus si hanc musicam audisset inter Christianos? Iam hoc musicae genus quod simul et flatile est et pulsatile, in templis sollemne, quibusdam non placet, nisi bellicam tubam longe superat. Nec id 130 satis; sacrificus vocem ad tonitrui fragorem effingit, nec alii magis placent aliquot Germaniae principibus. Adeo nostris ingeniis nihil est dulce quod non sapiat bellum. Sed desino iocari. Bene vale. Datum Basileae sexto Calendas Octobris. Anno M.D. XXVI.

XXII. ARCHBISHOP WARHAM. I

Nunc fieri videmus ut ex iis qui in diatribis theologicis diutius exercitati sunt, quam plurimi prodeant ad disputandum arguti, ad contionandum accommodi perquam pauci. Hic mihi succurrit vir omnium 5 memoria seculorum dignus, Guilhelmus Waramus,

archiepiscopus Cantuariensis, totius Angliae primas,
non ille quidem titulo sed re theologus. Erat enim
iuris utriusque doctor, legationibus aliquot feliciter
obeundis inclaruit et Henrico regi eius nominis
septimo, summae prudentiae principi, gratus carusque 10
factus est. His gradibus evectus est ad Cantuariensis
ecclesiae fastigium, cuius in ea insula prima est
dignitas. Huic oneri per se gravissimo additum est
aliud gravius. Coactus est suscipere cancellarii munus,
quod quidem apud Anglos plane regium est; atque 15
huic uni honoris gratia, quoties in publicum procedit,
regia corona sceptro regio imposita gestatur. Nam
hic est velut oculus, os ac dextra regis, supremusque
totius regni Britannici iudex. Hanc provinciam annis
compluribus tanta dexteritate gessit, ut diceres illum 20
ei negotio natum, nulla alia teneri cura. Sed idem
in his quae spectabant ad religionem et ecclesiasticas
functiones tam erat vigilans et attentus ut diceres eum
nulla externa cura distringi. Sufficiebat illi tempus
ad religiose persoluendum sollemne precum pensum, 25
ad sacrificandum fere cotidie, ad audiendum praeterea
duo aut tria sacra, ad cognoscendas causas, ad excipi-
endas legationes, ad consulendum regi si quid in aula
gravius exstitisset, ad visendas ecclesias sicubi natum
esset aliquid quod moderatorem postularet, ad excipi- 30
endos convivas saepe ducentos : denique lectioni suum
dabatur otium.

Ad tam varias curas uni sufficiebat et animus et
tempus, cuius nullam portionem dabat venatui, nullam
aleae, nullam inanibus fabulis, nullam luxui aut 35
voluptatibus. Pro his omnibus oblectamentis erat
illi vel amoena quaepiam lectio vel cum erudito viro

colloquium. Quanquam interdum episcopos, duces et
comites habebat convivas, semper tamen prandium
40 intra spatium horae finiebatur. In splendido apparatu
quem illa dignitas postulabat, dictu incredibile quam
ipse nihil deliciarum attigerit. Raro gustabat vinum,
plerumque iam tum septuagenarius bibebat pertenuem
cervisiam, quam illi biriam vocant, eamque ipsam
45 perparce. Porro cum quam minimum ciborum
sumeret, tamen comitate vultus ac sermonum festivi-
tate omne convivium exhilarabat. Vidisses eandem
pransi et impransi sobrietatem. A cenis in totum
abstinebat, aut si contigerant familiares amici, quorum
50 de numero nos eramus, accumbebat quidem, sed ita ut
paene nihil attingeret ciborum. Si tales non dabantur,
quod temporis cenae dandum erat, id vel precibus vel
lectioni impendebat. Atque ut ipse leporibus scatebat
mire gratis, sed citra morsum atque ineptiam, ita
55 liberioribus iocis amicorum delectabatur. A scurrili-
tate et obtrectatione tam abhorrebat quam quisquam
ab angui. Sic ille vir eximius sibi faciebat dies
abunde longos, quorum brevitatem multi causantur.
Et tamen isti qui subinde queruntur ad seria negotia
60 sibi deesse otium, bonam diei partem, interdum et
noctis, perdunt in rebus non necessariis.

Verum ut eo redeam, cuius gratia interieci hunc
sermonem, erat illi iuxta morem horum temporum
necessum praeter familiam, quam alere cogebatur
65 numerosissimam, aulae regiae, totius regni negotiis
etiam profanis dare operam ; nec ibi moribus hodie
receptum est ut summi praesules contionentur: tamen
quod in hoc officii genere diminutum erat, abunde
pensabat gemina vigilantia, partim prospiciens ne quis

inutilis ad Dominici gregis curam adhiberetur, partim 70
multos sua liberalitate fovens in literarum studiis,
quos sperabat ad bonam frugem evasuros. In hos
erat tam exposita liberalitas, ut moriens nihil reliquerit praesentis pecuniae, sed aeris alieni nonnihil;
tametsi non deerat unde id dissolvi posset. Haec 75
nequaquam loquor ad gratiam. Amavi vivum nec
minus amo mortuum; quod enim in illo amabam
non periit. Si supputem quicquid ille dare mihi
paratus erat, immensa fuit eius in me liberalitas; si
ad calculum vocemus quod accepi, sane modicum est. 80
Unicum modo sacerdotium in me contulit, immo non
dedit sed obtrusit constanter recusanti, quod esset eius
generis ut grex pastorem requireret, quem ego linguae
ignarus praestare non poteram. Id cum vertisset in
pensionem, sentiretque me et eam pecuniolam gravatim 85
accipere, quod e populo cui nihil prodessem colligeretur,
sic me consolatus est vir egregie pius: 'Quid' inquit
'magni faceres, si uni agresti popello praedicares?
Nunc libris tuis omnes doces pastores fructu longe
uberiore; et indignum videtur si ad te paulum redit 90
stipis ecclesiasticae? Istam sollicitudinem in me recipio. Providebo ne quid illi desit ecclesiae.' Idque
fecit; nam submoto cui resignaram sacerdotium
(is erat illi a suffragiis, homo variis distractus negotiis)
alium praefecit iuvenem rei theologicae peritum, pro- 95
batis et integris moribus.

Reverendissimum dominum Ioannem Fischerum,
Roffensem episcopum, quod cum aliis omnibus officiis
praesule dignis, tum praecipue studio docendi populum
verum praestaret episcopum, sic amabat, sic venera- 100
batur, quasi ille fuisset metropolitanus, ipse ei suffra-

ganeus.   Hoc testimonium defuncto patrono citra
adulationis suspicionem praebere licet.   Nec ille meis
eget laudibus, nec ego ullum adulationis praemium
105 ab eo exspecto.   Sed haec ea gratia commemoravi ut
ostenderem exemplar, quod secuti huius aetatis anti-
stites facile possint pensare detrimentum officii, quod
variis distenti negotiis ad contionandum non habeant
vacuum tempus: tum quibus rationibus sibi possint
110 dies reddere longiores, ut ad varias curas et tempus et
animus et valetudo sufficiat.

XXIII.   ARCHBISHOP WARHAM.   II

DESIDERIUS ERASMUS ROTERODAMUS PIO LECTORI S. D.

Cum haec adornaretur editio, incomparabilis heros
Guilhelmus Waramus, archiepiscopus Cantuariensis
ac totius Angliae primas, terras reliquit et in coeleste
contubernium emigravit: vir ex omni virtutum et
5 ornamentorum genere concinnatus, sive spectes in
tanto rerum fastigio comitatem etiam infimis obviam,
sive in tanta rerum affluentia spontaneam victus
sobrietatem, sive in tantis negotiorum undis perpetuam
animi tranquillitatem (id quod divinae cuiusdam
10 mentis esse videtur), sive sincerum erga pietatem et
religionem affectum, quam semper summo studio,
nullo supercilio, tum docuit tum praestitit.   Nemo
vidit illum nihil agentem.   Quis autem non facile
condonasset tali viro, si quando animum negotiis
15 externis delassatum iocis aut lusibus relaxasset?   At
illi pro venatu, pro aucupio, pro alea, pro chartis, pro
morionibus proque ceteris avocamentis vulgaribus erat
aut frugifera lectio aut cum erudito viro colloquium.

Iam vero benignitatem cum in omnes tum praecipue
in studiosos quid referam ? De me nihil dicam, qui 20
non ita multum ab illo accepi, idque obtrusum verius
quam datum : nisi quod in acceptis numero quicquid
ille obtulit ; obtulit autem frequenter vera fronte
fortunarum omnium communionem.   Sed in alios
quam non fuerit illius parca liberalitas vel illa vox 25
arguit quam paulo ante mortem emisit.   Nuntiantibus
enim famulis in thesauro vix esse triginta aureos
signatae pecuniae, gratulabundus dixit 'Bene habet.
Sic mori semper fuit in votis.   Sat est viatici mox
hinc emigraturo'.   O mentem summo episcopo dignam ! 30
    Ex tanta fortuna minimum impendit sibi.   Mensa
erat et pro more regionis et pro dignitate tanti praesulis splendida, sed in mediis deliciis ipse vulgaribus
libentius utebatur atque hoc ipsum parcissime.   Cena
tam erat frugalis ut prope nulla esset.   Vinum perquam 35
raro gustabat verius quam bibebat, contentus tenuis-
sima cervisia quam illi vulgo biriam appellant.
Eadem in cultu frugalitas.   Nunquam holosericis
utebatur nisi rem divinam peragens ; adeo ut cum sub
Caroli Caesaris et Regis Angliae conventum, qui fuit 40
ante annos, ni fallor, undecim Calecii, edicto Cardinalis
Eboracensis non episcopi tantum sed et inferioris
gradus homines cogerentur magnis impendiis ornare
sese byssinis ac damascenis, solus omnium ille contempto edicto pilum in cultu suo non mutaverit. 45
Quid esse possit illo pectore incorruptius ? Nunc felix
illa anima, sicut Ecclesiae praeclarum lumen fuit, ita
coelesti Hierosolymae sidus illustre addit.   Frequenter
apud suos hanc vocem solebat emittere : 'Utinam
mihi contingat priusquam hinc emigrem, semel videre 50

complectique meum Erasmum. Nunquam sinam illum
a me divelli.' Votum erat mutuum, sed neutri contigit
quod optavit. Utinam illud concedat Christi miseri-
cordia, ut nos invicem brevi complectamur illic ubi
55 nulla est futura distractio, neque quisquam erit qui
vel illum mihi vel me illi invideat.

Bene vale, quisquis es qui haec legis.

Friburgi Brisgoiae Anno M.D.XXXIII.

XXIV. THE LIVES OF VITRARIUS AND
COLET

ERASMUS ROTERODAMUS IODOCO IONAE ERPHORDIENSI S. D.

QUOD tam impense rogas, vir optime, ut tibi Ioannis
Coleti vitam paucis velut in brevi tabella depingam,
hoc faciam lubentius, quod suspicor te tibi quaerere
egregium aliquod pietatis exemplar, ad quod tuum
5 institutum attemperes. Equidem, mi Iona carissime,
ut fatear me cum multis habuisse consuetudinem
quorum integritas mihi valde probaretur, tamen nullum
adhuc vidi in cuius moribus nescio quid adhuc Christianae puritatis non desiderarem, quoties ad horum
10 duorum sinceritatem conferrem aliquem; quorum alterum mihi nosse contigit apud oppidum Artesiae, quod
vulgo dicitur sancti Audomari, cum huc me pestis, hac
sane in parte mihi felix, Lutetia propulisset; alterum
in Britannia, quo me Montioii mei caritas pertraxerat.
15 Lucrum facies, cuius scio te avidissimum ; pro uno duos
dabo.

Prior dictus est Ioannes Vitrarius, ordinis Fran-
ciscani—nam in hoc vitae genus adolescens inciderat ;
meo iudicio nulla ex parte posthabendus Coleto, nisi

quod ob servitutem instituti minus multis prodesse 20
poterat. Annos natus erat ferme quadraginta quatuor
cum hominem nosse coeperam ; ac statim adamare me
coepit, hominem sui multum dissimilem. Erat auctoritatis maximae apud optimos quosque, multis magna-
tibus gratissimus, corpore procero et eleganti, natura 25
felici, animo sic excelso ut nihil esset illo humanius.
Scoticas argutias puer imbiberat, quas nec prorsus improbabat, quod quaedam scite dicerentur licet sordidis
verbis, nec rursus magni faciebat. Ceterum, ubi contigisset Ambrosium, Cyprianum, Hieronymum degustare, 30
mirum quam prae his illa fastidiebat. Nullius ingenium
magis admirabatur in sacris literis quam Origenis: cumque cavillarer me mirari, quod hominis haeretici scriptis
delectaretur, ille mira alacritate ' Fieri non potuit ' inquit
' quin hoc pectus inhabitarit Spiritus sanctus, unde 35
tot libri tam eruditi tanto ardore scripti prodierunt '.

Quanquam autem illud vitae institutum, in quod
per inscitiam aetatis fuerat vel delapsus vel pertra-
ctus, nequaquam probabat, subinde dictitans apud me
fatuorum esse vitam potius quam religiosorum ad nolae 40
signum dormire, expergisci, redormiscere, loqui, tacere,
ire, redire, cibum capere, desinere pastu, denique nihil
non facere ad praescriptum humanum potius quam ad
Christi regulam : nihil iniquius esse quam inter tam in-
aequales aequalitatem, maxime quod illic saepenumero 45
coelestia ingenia ac melioribus rebus nata, caerimoniis
et constitutiunculis humanis aut etiam livore sepeliren-
tur: tamen nec cuiquam unquam fuit auctor mutandae
vitae, nec ipse quicquam huiusmodi molitus est, paratus
omnia ferre potius quam ulli mortalium offendiculo 50
esse, Pauli sui exemplum in hoc quoque referens.

Nihil autem erat tam iniquum quod ille pacis servandae
studio non summa cum alacritate perpeteretur.

Libros divinos, praesertim epistolas Pauli, sic edidi-
55 cerat, ut nemo melius teneret ungues digitosque suos
quam ille Pauli sui sermones. Dedisses initium ex quacunque parte, ille mox totam epistolam absque ullo lapsu
fuisset prosecutus. Ambrosii pleraque tenebat memori-
ter. Vixque credibile est quantum item ex aliis orthodoxis
60 veteribus memoria complecteretur. Praestitit hoc illi
partim memoria natura felix, partim assidua meditatio.

Rogatus a me in familiari colloquio, quibus modis
praepararet animum suum iturus ad contionandum,
respondit se solitum in manus sumere Paulum, et in
65 eius lectione tam diu commorari, donec sentiret incale-
scere pectus. Illic haerebat, addens igneas ad Deum
preces, donec admoneretur esse tempus incipiendi.
Non dividebat fere contiones suas; id quod vulgus ita
facit, quasi secus facere non liceat; unde fit ut fre-
70 quenter sit frigidissima distinctio. Quanquam omnis
illa distinctionum cura frigus addit orationi, et artificii
significationem praebens fidem elevat dicentis. At hic
perpetuo quodam sermonis fluxu connectebat sacram
Epistolam cum Evangelica lectione, ut auditor domum
75 rediret et eruditior et inflammatior ad studium pietatis.
Neque gesticulationibus ineptiebat nec vociferationibus
tumultuabatur, sed totus apud se sic promebat verba,
ut sentires ex ardenti ac simplici sed sobrio pectore
proficisci : nec usquam immorabatur ad taedium usque,
80 neque iactabat sese variis citationibus nominum, quemadmodum nunc e Scoto, Thoma, Durando, nunc ex iuris
utriusque libris, nunc e philosophis, nunc e poetis
centones frigidos consarcinant, quo populo nihil nescire

videantur. Totus sermo quem promebat erat sacrae
scripturae plenus, nec aliud ructare poterat.   Amabat 85
quod loquebatur.

Nonnunquam septies contionabatur uno die, nec
unquam illi deerat sermonis eruditi copia, quoties de
Christo loquendum erat.   Quanquam tota illius vita
nihil erat nisi sacra contio.   Erat alacer minimeque 90
tetricus in convivio : sed sic ut nullam unquam prae-
beret speciem levitatis aut ineptiae, luxus aut intem-
perantiae multo minus.   Miscebat sermones eruditos,
plerumque sacros, et ad pietatem facientes.   Talia erant
colloquia, si quis illum adibat ; aut si quem ille vise- 95
bat, aut si quo faciebat iter, habebat potentes amicos,
qui illi in itinere mulum aliquoties aut equum sub-
iciebant, quo commodius liceret confabulari ; ibi promebat vir optimus exhilarato spiritu quae nullis gemmis
poterant aestimari.   Neminem ab se tristem dimittebat, 100
immo neminem non dimittebat meliorem et ad pietatis
amorem animatiorem.

Nihil erat in quo sentire posses illum ulli suo com-
modo servire ; non ventri, non ambitioni, non avaritiae,
non voluptati, non odio, non livori, non ullis malis affe- 105
ctibus erat obnoxius.   Quicquid acciderat, agebat gratias
Deo : nec aliud erat gaudium quam si quos inflammas-
set ad studium Evangelicae pietatis.   Nec irritus fuit
illius conatus.   Complures tum viros tum feminas
lucri fecerat Christo : qui quantum differrent ab hoc 110
Christianorum vulgo, mors arguebat.   Vidisses enim
huius discipulos summa cum alacritate spiritus mori, et
sub mortem vere cygneam canere cantionem, ea pro-
mentes quae pectus afflatum sacro numine testarentur :
cum ceteri peractis caerimoniis et adhibitis sollemnibus 115

illis protestationibus fidentes, diffidentes exhalarent
animam. Testis est huius rei medicus eximius eius
oppidi Ghisbertus ac pertinax verae pietatis cultor, qui
plurimis utriusque scholae morientibus adfuit.

120 Pertraxerat aliquot et e sui gregis sodalibus, sed pauciores—(quemadmodum et Christus apud suos non potuit multas virtutes facere)— ; nam illis fere placent qui
sua doctrina plurimum commeatus convehunt in culinam, potius quam qui plurimas animas asserunt Chri-
125 sto. Cum autem ab omnibus vitiis abhorrebat animus
ille purissimus ac vere templum Christo dicatum, tum
maxime a libidine, adeo ut odore talium gravissime
offenderetur, tantum aberat ut turpiloquium ferre posset.
In vitia vulgi nunquam odiose debacchabatur, neque
130 quicquam adferebat e secretis confessionibus: sed ita
depingebat honestatis imaginem, ut se quisque tacitus
agnosceret. In consiliis dandis mira prudentia, mira
integritas, mira dexteritas. Secretas confessiones non
admodum volens audiebat, sed tamen in hoc quoque
135 serviebat caritati: anxias ac subinde repetitas confessiones palam detestabatur.

Superstitioni ac caerimoniis minimum tribuebat,
vescebatur cibis quibuslibet sobrie et cum gratiarum
actione. Vestitus erat nihil ab aliis differens. Solebat
140 nonnunquam et valetudinis causa suscipere iter aliquod,
si quando senserat corpus humore degravari. Quodam
igitur die, cum persolveret pensum precum matutina-
rum cum suo sodali, sensissetque stomachum fortassis
ob pridianam inediam nauseantem, ingressus domum
145 proximam, sumpsit cibi nonnihil, ac repetito itinere
pergebat precari. Ibi cum sodalis illius putaret omnia
repetenda ab initio, quod primae horae precibus non-

dum dictis sumpsisset cibum, ille alacer negavit quicquam esse admissum, immo Deo nonnihil fore lucri.
' Antehac ' inquit ' languidi et segnes precabamur; nunc 150
alacribus animis illi dicemus hymnos spirituales ; et
eiusmodi sacrificiis ille delectatur, quae ab hilari datore
offeruntur.'

Ego cum id temporis diversarer apud Antonium a
Bergis abbatem Bertinicum, nec nisi post meridiem 155
illic pranderetur, neque meus stomachus ferret tam
diutinam inediam (erat autem tempus quadragesimae),
praesertim cum totus essem in studiis, solebam ante
prandium sorbitiuncula tepida fulcire stomachum, quo
duraret in horam prandii.   Hac de re cum illum 160
consulerem num liceret, ille circumspecto sodali, quem
tum habebat laicum, ne quid offenderetur: 'Immo,' inquit
' peccares nisi faceres, et ob cibulum omitteres ista tua
sacra studia, tuoque corpusculo faceres iniuriam.'

Cum Alexander Pontifex ex uno Iubilaeo fecisset 165
duos, quo quaestus esset uberior, eiusque dispensa-
tionem Episcopus Tornacensis praesente pecunia suo
periculo redemisset, summo studio adnitebantur commissarii, ne sortem perderet Episcopus, immo ut lucrum
non poenitendum accederet.   Hic in primis ad fabulae 170
partes vocabantur ii qui in contionibus populo essent
gratiosi.   Noster sentiens id in scrinia conferri, quo
sublevabantur ante pauperes, non improbabat quod
offerebat Pontifex, nec probabat tamen.   Ceterum illud
improbabat, quod tenues fraudarentur solito subsidio : 175
damnabat stultam eorum fiduciam qui nummo in
scrinium coniecto putarent sese liberos a peccatis.

Tandem obtulerunt commissarii centum florenos ad
structuram templi (nam id tum aedificabatur in eius

180 monasterio), ut si nollet commendare venias pontificias, saltem ea taceret quae officerent. Ibi vir velut afflatu sacro percitus, 'Abite' inquit, 'hinc, Simoniaci, cum vestra pecunia. An eum me putatis qui ob pecuniam sim suppressurus Evangelicam veritatem ? Ea si vestro 185 quaestui obstat, mihi maior esse debet cura animarum quam vestri compendii.' Cessere tum vigori pectoris Evangelici homines male sibi conscii, sed interim praeter exspectationem summo diluculo affixa est excommunicatio; quae tamen a cive quodam detracta est 190 priusquam multis innotesceret.

Ille nihil his minis territus, summa cum animi tranquillitate docebat populum et Christo sacrificabat : nec ullum metum prae se ferebat talis anathematis, quod ob Christum praedicatum intentaretur. Mox citatus 195 est ad Episcopum Morinensem. Paruit Episcopo suo, venit uno sodali comitatus, nihil ipse de se sollicitus : sed tamen inscio illo cives equitum praesidia collocarant in itinere, ne per insidias interceptus in antrum aliquod coniiceretur. Quid enim non audet auri sacra 200 fames ? Episcopus obiecit articulos aliquot, quos ex illius collegerant contionibus : ille magno animo respondit et Episcopo satisfecit. Aliquanto post denuo vocatus est, obiecti sunt plures : ubi et ad hos responderat, rogabat cur non adessent accusatores, ut suo 205 quoque periculo accusarent : se iam bis venisse honoris illius gratia quod episcopus esset, ceterum non venturum tertio, si simili modo vocaretur : esse sibi domi melius negotium. Ita suo ingenio relictus est, sive quia deerat ansa nocendi, sive quia timebant populi tumul-210 tum, in quo probitas illius habebat optimum quemque addictissimum : etiamsi ille tale nihil ambiebat.

Iamdudum rogabis, scio, quis huius viri fuerit
exitus. Non solum displicuit commissariis, sed etiam
suis fratribus aliquot, non quod non probarent vitam,
sed quod ea melior esset quam ipsis expediebat. Totus 215
inhiabat in lucrum animarum, ceterum ad instruendam
culinam aut exstruendos parietes, ad illectandos dotatos
adolescentes segnior erat quam illi vellent: etiamsi hoc
quoque non neglegebat vir optimus, duntaxat si quid
ad sublevandam necessitatem pertineret, verum non 220
ut plerique praepostere curabat ista. Immo quendam
etiam thynnum alienarat : is erat aulicus ac prorsus
aulicis moribus, uxorem pro derelicta habens, quam
habebat et claro genere natam et aliquot liberorum
matrem. Hic cum omnibus tentatis, quo uxorem 225
marito reconciliaret, nihil ageret, nec durus ille vel
affinium respectu vel liberorum communium affectu vel
sua ipsius conscientia flecteretur, reliquit hominem
ceu deploratum. Is paulo post ex more petasonem aut
armum suillum misit. Ceterum Ioannes (nam tum 230
Guardianum agebat) mandarat ianitori ne quid reci-
peret nisi se vocato. Cum adesset munus, vocatus est :
ibi famulis qui deferebant heri nomine, ' Referte' inquit ' onus vestrum unde attulistis : nos non recipimus
munera diaboli.'   235
Itaque tametsi non ignorabant illius vitam ac doctrinam esse seminarium egregium Evangelicae pietatis,
tamen quoniam non perinde conducebat proventui
culinae, iussus est deponere Guardiani munus : quo
nihil ille fecit lubentius, et suffectus est illi quidam, 240
quem ego novi, aliunde ascitus, homo non dicam qualis
aut quam alteri dissimilis ; in summa is mihi visus est
cui nemo prudens cauletum suum vellet committere:

sive hunc obtruserunt qui cupiebant abesse, sive is
245 visus est ad rem magis idoneus. Porro cum ex eius
convictu subolesceret unus atque alter, qui simili spiritu
raperetur ad studium consulendi pietati Christianae
potius quam ad augendum penus, relegarunt hominem Curtracum in monasteriolum virginum. Ibi
250 quantum licuit, sui similis docens, consolans, adhortans, diem suum feliciter obiit, relictis aliquot libellis,
quos e sacris auctoribus decerpserat Gallice ; quos non
dubito tales esse qualis erat hominis vita et oratio. Et
tamen audio nunc a nonnullis damnari, qui putant
255 esse ingens periculum si populus aliquid legat praeter
ineptas fabulas historiarum. Vivit adhuc illius doctrinae scintilla in multorum pectoribus. Sic contemptim
habitus est a suis vir ille singularis, qui si Paulo apo-
stolo collega contigisset, nihil addubito quin illum suo
260 Barnabae aut Timotheo fuerit antepositurus.

Habes vero gemmeum Vitrarium nostrum, ignotum
mundo, celebrem et clarum in regno Christi. Nunc
Coletum huic simillimum accipe. Alterum alteri
depinxeram, et uterque alterius videndi desiderio
265 flagrabat, atque hac gratia Vitrarius in Angliam
traiecerat ; ac mihi post narrabat Coletus apud se fuisse
Minoritam quendam, cuius colloquio prudenti pioque
mirum in modum fuisset delectatus, sed adhibitum
alterum quendam eiusdem ordinis Stoicum, qui visus
270 indigne ferre Christianum colloquium interruperit.
Ac fortasse Coletus hoc nomine plus laudis meretur,
quod nec indulgentia fortunae nec impetu naturae,
longe alio trahentis, potuerit ab Evangelicae vitae
studio depelli. Natus est enim e claris et opulentis
275 parentibus, idque Londini. Siquidem pater bis in

urbe sua praefecturam summam gessit, quam illi
Maioritatem appellant.   Mater quae adhuc superest,
insigni probitate mulier, marito suo undecim filios
peperit ac totidem filias.   Quorum omnium natu
maximus erat Coletus, ac proinde solus heres futurus 280
iuxta leges Britannicas, etiamsi illi fuissent super-
stites : sed ex omnibus ille superfuit solus, cum illum
nosse coepissem.   Accesserat his fortunae commodis
corpus elegans ac procerum.

Adolescens apud suos quicquid est scholasticae 285
philosophiae, diligenter perdidicit, ac titulum assecutus est, qui septem liberalium artium scientiam
profitetur.   Quarum nulla erat in qua ille non esset
gnaviter ac feliciter exercitatus : nam et libros Cicero-
nis avidissime devorarat, et Platonis Plotinique libros 290
non oscitanter excusserat, nec ullam mathematices
partem intactam reliquit.   Post tanquam avidus bonarum rerum negotiator, adiit Galliam, mox Italiam.
Ibi se totum evolvendis sacris auctoribus dedit, sed
prius per omnia literarum genera magno studio pere- 295
grinatus, priscis illis potissimum delectabatur, Dionysio,
Origene, Cypriano, Ambrosio, Hieronymo.   Neque
tamen non legit Scotum ac Thomam aliosque huius
farinae, si quando locus postulabat.   In utriusque iuris
libris erat non indiligenter versatus.   Denique nullus 300
erat liber, historiam aut constitutiones continens
maiorum, quem ille non evolverat.   Habet gens
Britannica qui hoc praestiterunt apud suos quod Dantes
ac Petrarcha apud Italos.   Et horum evolvendis
scriptis linguam expolivit, iam tum se praeparans ad 305
praeconium sermonis Evangelici.

Reversus ex Italia, mox relictis parentum aedibus

Oxoniae maluit agere.   Illic publice et gratis Paulinas
epistolas omnes enarravit.   Hic hominem nosse coepi,
310 nam eodem tum me deus nescio quis adegerat ; natus
tum erat annos ferme triginta, me minor duobus aut
tribus mensibus.   In Theologica professione nullum
omnino gradum nec assecutus erat nec ambierat :
tamen nullus erat illic doctor vel Theologiae vel Iuris,
315 nullus abbas aut alioqui dignitate praeditus, quin
illum audiret, etiam allatis codicibus : sive hoc laudis
debetur Coleti auctoritati, sive illorum studio, quos
non puduerit senes a iuvene, doctores a non doctore
discere : tametsi post ultro delatus est doctoris titulus,
320 quem ille recepit magis ut illis gereret morem quam
quod ambiret.

Ab his sacris laboribus, Regis Henrici, eius nominis
septimi, favore Londinum est revocatus, ac Decanus
apud divum Paulum factus, ut illius praeesset collegio
325 cuius literas sic adamabat.   Est autem dignitas eius
nominis apud Anglos prima, tametsi sunt aliae pro-
ventu magis opimo.   Hic vir optimus tanquam ad
opus vocatus, non ad dignitatem, collegii sui collapsam
disciplinam sarsit, et, quod erat illic novum, singulis
330 diebus festis in suo templo contionari instituit, praeter
contiones extraordinarias, quas nunc in regia, nunc
aliis atque' aliis locis habebat.   Porro in suo templo
non sumebat sibi carptim argumentum ex Evangelio
aut ex epistolis Apostolicis, sed unum aliquod argu-
335 mentum proponebat, quod diversis contionibus ad finem usque prosequebatur : puta Evangelium Matthaei,
symbolum fidei, precationem Dominicam.   Et habebat
auditorium frequens, in quo plerosque primores suae
civitatis et aulae regiae.

Mensam Decani, quae antea sub hospitalitatis titulo 340
luxui servierat, contraxit ad frugalitatem. Nam cum
et ante annos aliquot in totum abstinuisset a cena,
caruit vespertinis convivis. Porro cum serius pran-
deret, etiam tum minus habuit multos : sed hoc
pauciores, quod et frugalis esset apparatus, tametsi 345
nitidus, et brevis accubitus, denique sermones qui non
delectarent nisi doctos ac bonos. Consecrata mensa
mox puer aliquis clara voce distincte pronuntiabat
caput aliquod ex epistolis Pauli aut proverbiis Salo-
monis. Ex eo delectum locum ipse fere repetebat, ac 350
sermonis occasionem sumebat, sciscitans ab eruditis
aut ingeniosis etiam idiotis, quid hoc aut illud dictum
sibi vellet. Atque ita sermonem temperabat, ut quanquam et pius et gravis, tamen nihil haberet taedii aut
supercilii. Rursus sub convivii finem, cum iam utcun- 355
que satisfactum esset non voluptati sed necessitati,
aliud argumentum iniecit : atque ita convivas dimisit
et animo et corpore refectos, ut meliores discederent
quam venerant, et stomachum minime cibis onustum
referrent.   360

Impense delectabatur amicorum colloquiis, quae
saepe differebat in multam noctem : sed omnis illius
sermo aut de literis erat aut de Christo. Si grati
confabulonis non erat copia (nec enim quibuslibet
delectabatur), puer aliquis e sacris libris aliquid 365
pronuntiabat. Me nonnunquam et peregrinationis
comitem ascivit, nihil erat illic eo festivius : sed
semper libellus erat itineris comes, nec alii sermones
quam de Christo. Impatiens erat omnium sordium,
adeo ut nec sermonem ferret soloecum ac barbarie 370
spurcum. Quicquid erat domesticae supellectilis, quic-

quid apparatus in cibis, quicquid in vestibus, quicquid in libris, nitidum esse volebat, de magnificentia
non laborabat. Non nisi pullis vestibus utebatur, cum
375 illic vulgo sacerdotes ac theologi vestiantur purpura.
Summa vestis semper erat lanea ac simplex ; si frigus
hoc postulabat, interulis pelliciis se muniebat.

Quicquid e sacerdotiis redibat, id in usus domesticos
oeconomo suo dispensandum reliquit : quod erat patri-
380 monii (erat autem amplissimum) ipse in pios usus
distribuebat. Nam patre defuncto, cum ingentem
pecuniae vim accepisset ex hereditate, ne servata
gigneret in eo aliquid morbi, novam scholam exstruxit
in coemeterio Sancti Pauli, puero Iesu sacram, opere
385 magnifico. Adiecit aedes magnificas, in quibus agerent
duo ludi magistri, quibus amplum salarium designavit,
quo gratuito docerent, sed sic uti schola non capiat
nisi certum numerum. Eam distinxit in partes
quatuor. Primus ingressus habet ceu catechumenos.
390 Nullus autem admittitur nisi qui iam norit et legere
et scribere. Secunda pars habet eos quos hypodidascalus instituit. Tertia quos superior erudit. Alteram ab altera dirimit velum quoddam quod adducitur
ac diducitur cum libet. Supra cathedram praeceptoris
395 sedet puer Iesus singulari opere, docentis gestu, quem
totus grex adiens scholam ac relinquens hymno salutat.
Et imminet Patris facies dicentis ' Ipsum audite ': nam
haec verba me auctore ascripsit. In postremo sacel-
lum est, in quo licet rem divinam facere. Tota schola
400 nullos habet angulos aut secessus, adeo ut nec cenaculum sit ullum aut cubiculum. Pueris singulis suus
est locus in gradibus paulatim ascendentibus, distinctis
spatiis. Quaeque classis habet sedecim, et qui in sua

classe praecellit, sellulam habet ceteris paululo eminen-
tiorem. Nec quosvis admittunt temere, sed delectus 405
fit indolis et ingeniorum.

Vidit illud vir perspicacissimus, in hoc esse praecipuam reipublicae spem, si prima aetas bonis rationibus
institueretur. Ea res cum constet immensa pecunia,
tamen nullum in huius consortium admisit. Quidam 410
legarat in eam structuram centum libras monetae
Britannicae : ubi sensit Coletus hac gratia sibi nescio
quid iuris vindicare laicos, permissu episcopi sui eam
pecuniam contulit in sacras vestes templi. Reditibus
totique negotio praefecit non sacerdotes, non episcopum 415
aut capitulum, ut vocant, non magnates : sed cives
aliquot coniugatos, probatae famae. Roganti causam
ait nihil quidem esse certi in rebus humanis, sed tamen
in his se minimum invenire corruptelae.

Atque ut hoc opus nemo non probavit, ita multi 420
demirabantur cur magnificentissimas aedes exstrueret
intra pomeria monasterii Carthusiensium, quod non
procul abest a regia quae dicitur Richemonda. Aiebat
se parare sedem illam suae senectuti, cum iam impar
laboribus aut morbo fractus cogeretur se submoveie 425
ab hominum consortio. Illic erat animus philoso-
phari cum duobus aut tribus amiculis eximiis, inter
quos me solitus est numerare ; sed mors antevertit.
Nam cum ante paucos annos correptus esset sudore
pestilenti, qui morbus peculiariter infestat Britanniam, 430
et ab eodem tertio repetitus, utcunque tamen revixit ;
sed ex morbi reliquiis contracta est viscerum tabes,
qua periit. Sepultus est ad australe chori latus in suo
templo humili sepulchro, quod in eum usum iam ante
annos aliquot delegerat, inscriptione addita 'IOAN. COL.' 435

Finem faciam, mi Iona, si pauca commemoraro
primum de ipsius natura, deinde de opinionibus paradoxis, postremo de procellis quibus explorata est
hominis ingenua pietas. Cuius minimam portionem
440 debebat naturae suae ; siquidem animo praeditus erat
insigniter excelso et omnis iniuriae impatientissimo,
ad luxum ac somnum mire propensus, ad iocos ac
facetias supra modum proclivis. Haec ipse mihi fassus
est, nec omnino tutus a morbo philargyriae. Adversus
445 haec ita pugnavit philosophia sacrisque studiis, vigiliis,
ieiuniis, ac precibus, ut totum vitae cursum ab huius
seculi inquinamentis purum peregerit. Opes in pios
usus dissipavit. Adversus animi celsitudinem ratione
pugnavit, adeo ut a puero quoque moneri se pateretur.
450 Somnum ac luxum abstinentia cenae perpetua, iugi
sobrietate, indefessis laboribus studiorum sanctisque
colloquiis profligavit : et tamen si quando sese obtu-
lisset occasio vel iocandi apud facetos vel colloquendi
cum feminis vel accumbendi in opiparis conviviis,
455 vidisses aliqua naturae vestigia. Et ob id fere a laico-
rum consuetudine abstinuit, sed praecipue a conviviis :
ad quae si quando cogebatur, me aut mei similem
adhibebat, quo Latinis fabulis declinaret profana colloquia. Atque interim sumpto ex uno tantum genere
460 cibi pusillo, uno aut altero cerevisiae haustu contentus
erat, a vino temperans, quo tamen delectabatur eleganti, sed temperatissime utens. Ita se sibi semper
habens suspectum, cavebat ·ab omnibus quibus esse
posset offendiculo cuiquam ; nec enim ignorabat
465 omnium oculos in se coniectos.

Nunquam vidi ingenium felicius, atque ob id simili-
bus ingeniis unice delectabatur : sed ad haec se malebat

demittere quae praepararent ad immortalitatem vitae
futurae. Nulla in re non philosophabatur, si quando
se laxabat fabulis amoenioribus. In pueris ac puellis 470
delectabat naturae puritas ac simplicitas, ad cuius
imitationem suos vocat Christus, angelis eos solitus
comparare.

Iam ut alteram exsolvam partem, opinionibus a
vulgo multum dissidebat, sed mira prudentia hac in 475
re sese attemperabat aliis, ne quos offenderet, aut ne
quid labis in famam contraheret ; non ignarus quam
iniqua sint hominum iudicia, quamque prona in malum
credulitas, quantoque facilius sit maledicis linguis
contaminare famam hominis quam benedicis sarcire. 480
Inter amicos ac doctos liberrime profitebatur quid
sentiret. Scotistas, quibus hominum vulgus ceu peculiare tribuit acumen, aiebat sibi videri stupidos et
hebetes et quidvis potius quam ingeniosos ; nam
argutari circa alienas sententias ac verba, nunc hoc 485
arrodere, nunc illud, et omnia minutatim dissecare,
ingenii esse sterilis et inopis. Thomae tamen, nescio
qua de causa, iniquior erat quam Scoto. Etenim cum
hunc apud illum aliquando laudarem ut inter recen-
tiores non aspernandum, quod et sacras literas et 490
auctores veteres videretur evolvisse (cuius rei suspicionem mihi fecerat Catena quae vocatur Aurea) et
aliquid haberet in scriptis affectuum, semel atque
iterum dissimulavit obticescens. Verum ubi rursus
in alio colloquio inculcarem eadem vehementius, 495
obtuitus est me, velut observans serione haec dicerem
necne ; cum animadverteret me ex animo loqui,
tanquam afflatus spiritu quodam, 'Quid tu' inquit,
'mihi praedicas istum, qui nisi habuisset multum

500 arrogantiae, non tanta temeritate tantoque supercilio
definisset omnia ? et nisi habuisset aliquid spiritus
mundani, non ita totam Christi doctrinam sua profana
philosophia contaminasset.' Admiratus sum hominis
impetum, coepique diligentius eius viri scripta evolvere.
505 Quid verbis opus est? omnino decessit aliquid meae
de illo existimationi.

Cum nemo magis faveret Christianae pietati, tamen
erga monasteria, quae nunc falso nomine pleraque sic
vocantur, minimum habebat affectus; eisque aut nihil
510 aut quam minimum largiebatur, ac ne moriens quidem
aliquid illis decidit : non quod invisos haberet ordines,
sed quod homines suae professioni non respondebant.
Nam ipsi in votis erat se prorsus ab hoc mundo extri-
care, sicubi repperisset sodalitium vere coniuratum in
515 vitam Evangelicam. Atque id negotii mihi delegarat
Italiam adituro, narrans sese apud Italos comperisse
quosdam monachos vere prudentes ac pios. Nec enim
ille iudicabat esse religionem quam vulgus iudicat, cum
sit aliquoties ingenii penuria. Laudabat et Germanos
520 aliquot, apud quos resident etiamnum priscae religionis vestigia. Dictitare solebat se nusquam reperire
minus corruptos mores quam inter coniugatos, quod
hos affectus naturae, cura liberorum ac res familiaris
ita veluti cancellis quibusdam distringerent, ut non
525 possent in omne flagitii genus prolabi.

Nulli mortalium generi erat infensior quam episcopis qui pro pastoribus lupos agerent ; nec ullos
magis exsecrabatur, quod cultu sacro, caerimoniis,
benedictionibus ac veniolis sese venditarent populo,
530 cum toto pectore servirent mundo, hoc est gloriae et
quaestui. E Dionysio ceterisque priscis theologis

quaedam hauserat, quibus non ita favebat, ut usquam
contenderet adversus decreta ecclesiastica, sed tamen
ut minus esset iniquus iis qui non probarent sic
passim in templis adorari imagines pictas, ligneas, 535
saxeas, aereas, aureas, argenteas: item iis qui dubi-
tarent an sacerdos insigniter ac palam improbus
conficeret aliquid sacramentali functione; haudquaquam favens istorum errori, sed indignans iis qui vita
palam et undique contaminata praeberent causam 540
huiusmodi suspicionis.

Collegia quae multo magnificoque sumptu sunt apud
Anglos instituta, dicebat officere bonis studiis, nec
aliud esse quam invitabula otiosorum: neque scholis
publicis perinde multum tribuebat, quod ambitio 545
profitendi et quaestus omnia vitians corrumperet
sinceritatem omnium disciplinarum.

Ut confessionem secretam vehementer probabat, negans se ulla ex re capere tantundem consolationis ac
boni spiritus, ita anxiam ac subinde repetitam vehe- 550
menter damnabat. Cum apud Anglos mos sit ut
sacerdotes fere cotidie faciant rem divinam, ille tamen
contentus erat diebus Dominicis ac festis sacrificare,
aut certe pauculis diebus extra hos: sive quod sacris
studiis, quibus se parabat ad contionandum, et ecclesiae 555
suae negotiis‾ distineretur; sive quod comperiret se
maiore cum affectu sacrificare si id ex intervallo faceret.
Haudquaquam tamen improbabat illorum institutum,
quibus placeret cotidie adire mensam Dominicam.

Cum esset ipse doctissimus, tamen anxiam hanc et 560
laboriosam sapientiam non probabat, quae ex omnium
disciplinarum cognitione et ex omnium auctorum
lectione velut ansis omnibus absolvitur: dictitans ita

deteri nativam illam ingenii sanitatem et sinceritatem,
565 hominesque reddi minus sanos et ad Christianam
innocentiam puramque ac simplicem caritatem minus
idoneos. Plurimum tribuebat epistolis apostolicis, sed
ita suspiciebat admirabilem illam Christi maiestatem, ut
ad hanc quodammodo sordescerent apostolorum scripta.
570 Omnia fere Christi dicta miro ingenio revocarat ad
terniones, unde et librum instituerat scribere. Quod
sacerdotes etiam occupati cotidie tam prolixas preces
exhaurire cogerentur, etiam domi atque in itinere,
vehementer admirabatur ; cultum autem ecclesiasti-
575 cum magnifice fieri valde probabat.

Innumera sunt hodie in publicis scholis receptissima
a quibus ille plurimum dissentiebat, de quibus inter
amiculos solebat aliquando conferre ; apud alios dis-
simulabat, ne geminum caperet incommodum, ut et
580 nihil proficeret nisi in peius, et existimationis suae
iacturam faceret. Nullus erat liber tam haereticus
quem ille non attente evolveret, dicens se plus ali-
quotiens ex illis capere fructus quam ex horum libris
qui sic omnia definiunt, ut frequenter adulentur
585 coryphaeis, nonnunquam et sibi ipsis. Recte loquendi
copiam non ferebat peti e praeceptionibus grammati-
corum, quas asseverabat officere ad bene dicendum, nec
id contingere nisi evolvendis optimis auctoribus ; sed
huius opinionis ipse poenas dedit. Cum enim esset
590 et natura et eruditione facundus, ac dicenti mira
suppeteret orationis ubertas, tamen scribens subinde
labebatur in his quae solent notare critici. Atque hac,
ni fallor, gratia a libris scribendis abstinebat, atque
utinam non abstinuisset : nam huius viri cogitationes
595 quacunque etiam lingua proditas optarim.

Iam ne quid defuisse putetur absolutae Coleti pietati, tempestates quibus agitatus est accipe. Nunquam illi bene convenerat cum suo Episcopo, de cuius moribus ne quid dicam, superstitiosus atque invictus erat Scotista, et hoc nomine sibi semideus videbatur : quo 600 quidem ex genere cum aliquot noverim quos nolim improbos appellare, nullum tamen adhuc vidi quem mea quidem sententia possis vere pureque dicere Christianum. Nec admodum gratus erat plerisque sui collegii, quod tenacior esset disciplinae regularis, ac 605 subinde quiritabantur se pro monachis haberi ; quan- quam hoc collegium olim fuit, et in vetustis syngraphis vocatur orientale monasterium.

Sed cum iam odium senis Episcopi—erat enim non minor annis octoginta—atrocius esset quam ut premi 610 posset, ascitis duobus episcopis aeque cordatis nec minus virulentis, incipit Coleto negotium facessere, non alio telo quam quo solent isti, si quando cui exitium moliuntur. Defert eum apud archiepiscopum Cantuariensem, articulis aliquot notatis, quos ex illius 615 contionibus decerpserat. Quorum unus erat quod docuisset non adorandas imagines : alter quod sustulis· set a Paulo laudatam hospitalitatem, qui enarrans illud ex Evangelio, 'Pasce, pasce, pasce oves meas,' cum in prioribus duobus cum reliquis interpretibus con- 620 sentiret, pasce exemplis vitae, pasce sermone doctrinae, in tertio dissensisset, negans convenire ut apostoli, qui tum erant pauperes, iuberentur oves suas pascere subsidio temporali, et huius loco aliud quiddam substituisset : tertius, quod cum in contione dixisset 625 quosdam de charta contionari (id quod multi frigide faciunt in Anglia), oblique taxasset Episcopum, qui ob

senium id solitus sit facere. Archiepiscopus, cui Coleti
dotes erant egregie cognitae, patrocinium innocentis
630 suscepit, e iudice factus patronus, cum ipse Coletus ad
haec aliaque stultiora respondere dedignaretur.

Non conquievit tamen senis odium. Tentavit aulam
regiam in Coletum concitare, atque in primis Regem
ipsum, iam aliud telum nactus, quod publice dixisset in
635 contione pacem iniquam praeferendam bello aequissimo.
Id enim temporis adornabatur bellum in Gallos, et
huius fabulae non minimam partem Minoritae duo
agebant ; quorum alter fax belli mitram meruit, alter
bonis lateribus vociferabatur in contionibus in poetas:
640 sic enim designabat Coletum, cum is a poeticis numeris
esset alienissimus, alioqui non imperitus musices.
Hic Rex, egregius iuvenis, dedit evidens specimen
ingenii sui regno dignissimi, privatim hortans Coletum,
pergeret sua doctrina libere succurrere moribus eius
645 seculi corruptissimis, neque subduceret lucem suam
temporibus tenebricosissimis : se non ignorare quid in
illum stimularet episcopos illos, neque nescire quantum
ipse fructus attulisset genti Britannicae sua vita
sacraque doctrina. Addebat sese sic cohibiturum
650 illorum conatus, ut aliis liqueret non impune fore si
qui Coletum impeterent. Hic Coletus egit quidem
gratias pro animo regio, ceterum quod obtulit depre-
catus est, negans se velle ut cuiquam peius esset sua
causa ; se potius cessurum munus quod gerebat.

655   Sed aliquanto post data est illis ansa ut sperarent
iam posse confici Coletum. A Pascha parabatur
expeditio in Gallos. In die Parasceves Coletus apud
Regem et aulicos mire contionatus est de victoria
Christi, adhortans Christianos omnes ut sub Regis sui

vexillo militarent ac vincerent. Etenim qui odio, qui 660
ambitione mali pugnarent cum malis seque vicissim
trucidarent, non sub Christi sed sub diaboli signis
militare : simulque ostendit quam res esset ardua
Christianam obire mortem, quam pauci bellum sus-
ciperent non odio aut cupiditate vitiati : quam vix 665
consisteret eundem habere fraternam caritatem, sine
qua nemo visurus esset Deum, et ferrum in fratris
viscera demergere. Addidit, ut Christum Principem
suum imitarentur potius quam Iulios et Alexandros.
Multaque alia tum declamavit in hanc sententiam sic 670
ut Rex nonnihil metueret ne haec contio adimeret
animos militibus quos educebat. Huc velut ad bubonem omnes convolant mali, sperantes fore ut Regis
animus iam in illum posset exacerbari. Accersitus
est Coletus iussu Regis. Venit, pransus est in 675
monasterio Franciscanorum quod adhaeret regiae
Grienwikensi. Rex ubi sensit, descendit in hortum
monasterii, et Coleto prodeunte dimisit suos omnes.
Ubi solus esset cum solo, iussit ut tecto capite
familiariter colloqueretur, atque ita exorsus est iuvenis 680
humanissimus : 'Ne quid temere suspiceris, Decane.
Non huc accersivi te, quo turbem tuos sanctissimos
labores, quibus unice faveo, sed ut exonerem con-
scientiam meam scrupulis aliquot, tuoque consilio
rectius satisfaciam officio meo.' Verum ne totum 685
colloquium repetam (quod fere sesquihoram productum
est), interim in aula ferociebat Bricotus, existimans
periclitari Coletum, cum per omnia conveniret illi
cum Rege ; nisi quod Rex optabat, ut quod Coletus
vere dixisset, diceret aliquando explanatius ob rudes 690
milites, qui secus interpretarentur quam ipse dixisset.

videlicet Christianis nullum esse bellum iustum.
Coletus pro sua prudentia proque singulari animi
moderatione non solum animo regio satisfecit, verum
695 etiam auxit gratiam pristinam. Ubi reditum est in
regiam, Rex dimissurus Coletum allato poculo praebibit, et complexus hominem humanissime omniaque
pollicitus quae sint ab amantissimo Rege exspectanda,
dimisit. Iam aulica turba circumstans exspectabat
700 exitum eius colloquii. Ibi Rex omnibus audientibus
'Suus' inquit 'cuique doctor esto, et suo quisque
faveat. Hic est doctor meus'. Ita discesserunt
quidam lupi, quod aiunt, hiantes, et praecipue Bricotus ; nec ab eo die quisquam est ausus impetere
705 Coletum.

Habes, Iodoce, duos quos aetas nostra tulit, mea
sententia vere sincereque Christianos, non tam depictos
quam delineatos, quantum passa est epistolaris angustia.
Tuum erit ex utroque decerpere quod tibi videbitur ad
710 veram pietatem maxime conducere. Iam si quaeres
utrum alteri praeferam, mihi videntur pari laude digni,
cum dissimili fuerint conditione. Siquidem ut magnum erat Coletum in ea fortuna constanter secutum
esse, non quo vocabat natura, sed quo Christus ; ita
715 speciosior est laus Vitrarii, quod in eo genere vitae
tantum obtinuerit ac praestiterit spiritus Evangelici :
perinde quasi piscis in palude vivens nihil trahat de
sapore palustri. Sed in Coleto quaedam erant quae
testarentur illum hominem esse ; in Vitrario nihil
720 unquam vidi quod ullo pacto saperet affectum humanum. Quod si me audies, Iona, non dubitabis hos duos
divorum ascribere catalogo ; etiamsi nullus unquam
Pontifex eos referat in canonem.

Felices animae, quibus ego multum debeo, vestris
precibus adiuvate luctantem adhuc in huius vitae ma- 725
lis Erasmum, ut in vestrum contubernium remigrem,
nusquam postea divellendus.

Vale, mi Iona.   Bene habet si tuo desiderio feci
satis; nam argumento scio nequaquam esse satisfactum.   730

Ex rure Andrelaco.   Id. Iun. Anno M. D. XXI.

XXV. COLET AND HIS KINSMAN

SOLEBAM illi canere fabulam de Ioanne Coleto, viro
perenni hominum memoria digno.   Pessime illi conveniebat cum patruo, viro admodum sene ac praefractis
moribus.   Lis erat non de lana caprina, nec de asini,
quod aiunt, umbra, sed de magna summa pecuniarum, 5
ob quantam vel filius bellum indiceret patri.   Coletus
pransurus apud reverendissimum praesulem Guilhelmum archiepiscopum Cantuariensem iunxit me
sibi in cymba.   Interea legebat ex Enchiridio meo
remedium iracundiae, nec tamen indicabat cur ea 10
legeret.   Accubitus ordo forte sic dabat ut Coletus
sederet e regione patrui, vultu subtristi, nec loquens
nec prandens.   Archiepiscopi vero rara quaedam est
hac in re dexteritas, ut curet ne quis parum hilaris sit
in convivio, sermones ad omnium affectus attemperans. 15
Per eum itaque iniectus est sermo de collatione aeta-
tum.   Hinc orta est inter mutos confabulatio.   Denique
patruus senum more gloriari coepit, quod tantus natu
tantopere polleret viribus.   A prandio nescio quid
seorsum agitatum est inter illos.   Ubi Coletus mecum 20
repetierat cymbam, 'Video,' inquit, 'Erasme, te felicem

esse.' Ego admirabar cur hominem infelicissimum
diceret felicem. Ibi denarravit quam atroci animo
fuerit in patruum, adeo ut propemodum statuisset
25 omnibus Christianae modestiae repagulis refractis et
cognationis affectu contempto manifestum bellum
suscipere cum patruo: eaque gratia cepisse meum
Enchiridion in manus, ut iracundiae remedium quae-
reret, et profuisse. Mox ex ea qualicunque confabula-
30 tione quae orta est in prandio, utrinque diluta est
amarulentia, sic ut mox Archiepiscopo sequestro facile
res omnis inter eos composita sit.

XXVI. THOMAS MORE

ERASMUS ROTERODAMUS CLARISSIMO EQUITI ULRICHO
HUTTENO S. D.

Quod Thomae Mori ingenium sic deamas ac paene
dixerim deperis, nimirum scriptis illius inflammatus,
quibus, ut vere scribis, nihil esse potest neque doctius
neque festivius, istuc, mihi crede, clarissime Huttene,
5 tibi cum multis commune est, cum Moro mutuum
etiam. Nam is vicissim adeo scriptorum tuorum genio
delectatur, ut ipse tibi propemodum invideam. Haec
videlicet est illa Platonis omnium maxime amabilis
sapientia, quae longe flagrantiores amores excitat inter
10 mortales quam ullae quamlibet admirabiles corporum
formae. Non cernitur illa quidem oculis corporeis,
sed et animo sui sunt oculi; per hos fit aliquoties ut
ardentissima caritate conglutinentur, inter quos nec
colloquium nec mutuus conspectus intercessit. Et
15 quemadmodum vulgo fit ut incertis de causis alia

forma alios rapiat, ita videtur et ingeniorum esse
tacita quaedam cognatio, quae facit ut certis ingeniis
impense delectemur, ceteris non item.

Ceterum quod a me flagitas, ut tibi totum Morum
velut in tabula depingam, utinam tam absolute praestare 20
queam quam tu vehementer cupis ; nam mihi quoque
non iniucundum fuerit interim in amici multo omnium
suavissimi contemplatione versari. Sed primum non
cuiusvis est omnes Mori dotes perspexisse. Deinde haud
scio an ille laturus sit a quolibet artifice depingi sese. 25
Nec enim arbitror levioris esse operae Morum effingere
quam Alexandrum magnum aut Achillem, nec illi
quam hic noster immortalitate digniores erant. Tale
argumentum prorsus Apellis cuiuspiam manum desi-
derat : at vereor ne ipse Fulvii Rutubaeque similior 30
sim quam Apellis. Experiar tamen tibi totius hominis
simulacrum delineare verius quam exprimere, quantum ex diutina domesticaque consuetudine vel anim-
advertere licuit vel meminisse. Quod si quando fiet
ut vos aliqua legatio committat, tum demum intelleges 35
quam non probum artificem ad hoc negotii delegeris,
vereorque plane ne me aut invidentiae incuses aut
caecutientiae, qui ex tam multis bonis tam pauca vel
viderim lippus vel commemorare voluerim invidus.

Atque ut ab ea parte exordiar qua tibi Morus est 40
ignotissimus, statura modoque corporis est infra pro-
ceritatem, supra tamen notabilem humilitatem. Verum
omnium membrorum tanta est symmetria, ut nihil hic
omnino desideres. Cute corporis candida facies magis
ad candorem vergit quam ad pallorem ; quanquam 45
a rubore procul abest, nisi quod tenuis admodum rubor
ubique sublucet. Capilli subnigro flavore, sive mavis,

sufflavo nigrore, barba rarior. Oculi subcaesii, maculis
quibusdam interspersi; quae species ingenium arguere
50 solet felicissimum, apud Britannos etiam amabilis
habetur, cum nostri nigrore magis capiantur. Negant
ullum oculorum genus minus infestari vitiis. Vultus
ingenio respondet, gratam et amicam festivitatem
semper prae se ferens, ac nonnihil ad ridentis habitum
55 compositus; atque ut ingenue dicam, appositior ad
iucunditatem quam ad gravitatem aut dignitatem,
etiamsi longissime abest ab ineptia scurrilitateque.
Dexter humerus paulo videtur eminentior laevo, praesertim cum incedit; id quod illi non accidit natura sed
60 assuetudine, qualia permulta nobis solent adhaerere.
In reliquo corpore nihil est quod offendat. Manus
tantum subrusticae sunt; ita duntaxat, si ad reliquam
corporis speciem conferantur. Ipse omnium quae ad
corporis cultum attinent semper a puero neglegentissi-
65 mus fuit, adeo ut nec illa magnopere curare sit solitus
quae sola viris esse curanda docet Ovidius. Formae
venustas quae fuerit adolescenti nunc etiam licet e
culmo conicere: quanquam ipse novi hominem non
maiorem annis viginti tribus; nam nunc vix excessit
70 quadragesimum.

Valetudo prospera magis quam robusta, sed tamen
quae quantislibet laboribus sufficiat honesto cive dignis,
nullis aut certe paucissimis morbis obnoxia: spes est
vivacem fore, quando patrem habet admodum natu
75 grandem, sed mire virenti vegetaque senectute. Neminem adhuc vidi minus morosum in delectu ciborum.
Ad iuvenilem usque aetatem aquae potu delectatus
est; id illi patrium fuit. Verum hac in re ne cui
molestus esset, fallebat convivas e stanneo poculo

cervisiam bibens, eamque aquae proximam, frequenter 80
aquam meram. Vinum, quoniam illic mos est ad idem
poculum vicissim invitare sese, summo ore nonnunquam libabat, ne prorsus abhorrere videretur, simul ut
ipse communibus rebus assuesceret. Carnibus bubulis,
salsamentis, pane secundario ac vehementer fermentato 85
libentius vescebatur quam his cibis quos vulgus habet
in deliciis; alioqui neutiquam abhorrens ab omnibus
quae voluptatem innoxiam adferunt etiam corpori.
Lactariorum et eorum foetuum qui nascuntur in arbo-
ribus semper fuit appetentior; esum ovorum in deliciis 90
habet. Vox neque grandis est nec admodum exilis,
sed quae facile penetret aures, nihil habens canorum
ac molle, sed plane loquentis est: nam ad musicam
vocalem a natura non videtur esse compositus, etiam
si delectatur omni musices genere. Lingua mire expla- 95
nata articulataque, nihil habens nec praeceps nec hae-
sitans. Cultu simplici delectatur, nec sericis purpurave
aut catenis aureis utitur, nisi cum integrum non est
ponere. Dictu mirum quam neglegens sit caerimonia-
rum, quibus hominum vulgus aestimat morum civili- 100
tatem. Has ut a nemine exigit, ita aliis non anxie
praestat nec in congressibus nec in conviviis; licet
harum non sit ignarus, si lubeat uti. Sed muliebre
putat viroque indignum eiusmodi ineptiis bonam
temporis partem absumere.   105

Ab aula principumque familiaritate olim fuit ali-
enior, quod illi semper peculiariter invisa fuerit
tyrannis, quemadmodum aequalitas gratissima. Vix
autem reperies ullam aulam tam modestam quae non
multum habeat strepitus atque ambitionis, multum fuci, 110
multum luxus, quaeque prorsus absit ab omni specie

tyrannidis. Quin nec in Henrici octavi aulam pertrahi
potuit nisi multo negotio, cum hoc principe nec optari
quicquam possit civilius ac modestius. Natura liber-
115 tatis atque otii est avidior ; sed quemadmodum otio
cum datur lubens utitur, ita quoties poscit res, nemo
vigilantior aut patientior. Ad amicitiam natus factus-
que videtur, cuius et sincerissimus est cultor et longe
tenacissimus est. Nec ille metuit multorum amicitiam
120 ab Hesiodo parum laudatam. Nulli non patet ad
necessitudinis foedus. Nequaquam morosus in deli-
gendo, commodissimus in alendo, constantissimus in
retinendo. Si forte incidit in quempiam cuius vitiis
mederi non possit, hunc per occasionem dimittit,
125 dissuens amicitiam, non abrumpens. Quos sinceros
reperit, et ad ingenium suum appositos, horum consuetudine fabulisque sic delectatur, ut his in rebus
praecipuam vitae voluptatem ponere videatur. Nam
a pila, alea, chartis, ceterisque lusibus quibus procerum
130 vulgus temporis taedium solet fallere, prorsus abhorret.
Porro ut propriarum rerum est neglegentior, ita nemo
diligentior in curandis amicorum negotiis. Quid
multis ? Si quis absolutum verae amicitiae requirat
exemplar, a nemine rectius petierit quam a Moro.

135 In convictu tam rara comitas ac morum suavitas, ut
nemo tam tristi sit ingenio quem non exhilaret : nulla
res tam atrox cuius taedium non discutiat. Iam inde
a puero sic iocis est delectatus, ut ad hos natus videri
possit, sed in his nec ad scurrilitatem usque progressus
140 est, nec mordacitatem unquam amavit. Adolescens
comoediolas et scripsit et egit. Si quod dictum erat
salsius etiam in ipsum tortum, tamen amabat ; usque
adeo gaudet salibus argutis et ingenium redolentibus :

unde et epigrammatis lusit iuvenis, et Luciano cum primis est delectatus, quin et mihi ut Morias Encomium 145 scriberem, hoc est ut camelus saltarem, fuit auctor.

Nihil autem in rebus humanis obvium est unde ille non venetur voluptatem, etiam in rebus maxime seriis. Si cum eruditis et cordatis res est, delectatur ingenio ; si cum indoctis ac stultis, fruitur illorum stultitia. 150 Nec offenditur morionibus, mira dexteritate ad omnium affectus sese accommodans. Cum mulieribus fere atque etiam cum uxore non nisi lusus iocosque tractat. Diceres alterum quendam esse Democritum, aut potius Pythagoricum illum philosophum, qui vacuus animo 155 per mercatum obambulans contemplatur tumultus vendentium atque ementium. Nemo minus ducitur vulgi iudicio, sed rursus nemo minus abest a sensu communi.

Praecipua illi voluptas est spectare formas, ingenia 160 et affectus diversorum animantium. Proinde nullum fere genus est avium quod domi non alat, et si quod aliud animal vulgo rarum, veluti simia, vulpes, viverra, mustela, et his consimilia. Ad haec si quid exoticum aut alioqui spectandum occurrit, avidissime mercari 165 solet ; atque his rebus undique domum habet instructam, ut nusquam non sit obvium quod oculos ingredientium demoretur ; ac toties sibi renovat voluptatem, quoties alios conspicit oblectari.

Bonas literas a primis statim annis hauserat. Iu- 170 venis ad Graecas literas atque philosophiae studium sese applicuit, adeo non opitulante patre viro alioqui prudenti proboque, ut ea conantem omni subsidio destitueret, ac paene pro abdicato haberet, quod a patriis studiis desciscere videretur : nam is Britanni- 175

carum legum peritiam profitetur. Quae professio, ut
est a veris literis alienissima, ita apud Britannos cum
primis habentur magni clarique, qui in hoc genere sibi
pararunt auctoritatem. Nec temere apud illos alia via
180 ad rem ac gloriam parandam magis idonea ; siquidem
pleramque nobililatem illius insulae peperit hoc studiorum genus. In eo negant quenquam absolvi posse,
nisi plurimos annos insudarit. Ab hoc igitur cum non
iniuria abhorreret adolescentis ingenium melioribus
185 rebus natum, tamen post degustatas scholasticas disci-
plinas sic in hoc versatus est ut neque consulerent
quenquam libentius litigatores, neque quaestum uberiorem faceret quisquam eorum qui nihil aliud agebant.
Tanta erat vis ac celeritas ingenii.
190   Quin et evolvendis orthodoxorum voluminibus non
segnem operam impendit. Augustini libros De civitate
Dei publice professus est adhuc paene adolescens au-
ditorio frequenti, nec puduit nec poenituit sacerdotes
ac senes a iuvene profano sacra discere. Interim et
195 ad pietatis studium totum animum appulit, vigiliis,
ieiuniis, precationibus aliisque consimilibus progymna-
smatis sacerdotium meditans. Qua quidem in re non
paulo plus ille sapiebat, quam plerique isti, qui temere
ad tam arduam professionem ingerunt sese, nullo prius
200 sui periculo facto.
    Tamen virginem duxit admodum puellam, claro
genere natam, rudem adhuc, utpote ruri inter parentes
ac sorores semper habitam, quo magis illi liceret illam
ad suos mores fingere. Hanc et literis instituendam
205 curavit et omni musices genere doctam reddidit, planeque talem paene finxerat ; quicum libuisset universam
aetatem exigere, ni mors praematura puellam sustulis-

set e medio, sed enixam liberos aliquot, quorum adhuc supersunt puellae tres, Margareta, Aloysia, Cecilia,
puer unus Ioannes. Neque diu caelebs vivere susti- 210
nuit, licet alio vocantibus amicorum consiliis. Paucis mensibus a funere uxoris viduam duxit, magis
curandae familiae quam voluptati, quippe nec bellam
admodum nec puellam, ut ipse iocari solet, sed acrem
ac vigilantem matrem familias; quicum tamen perinde 215
comiter suaviterque vivit, ac si puella foret forma
quantumlibet amabili. Vix ullus maritus a sua tantum obsequii impetrat imperio atque severitudine,
quantum hic blanditiis iocisque. Quid enim non im-
petret, posteaquam effecit ut mulier iam ad senium 220
vergens, ad hoc animi minime mollis, postremo ad
rem attentissima, cithara, testudine, monochordo, tibiis
canere disceret, et in hisce rebus cotidie praescriptum
operae pensum exigenti marito redderet ?

Consimili comitate totam familiam moderatur, in 225
qua nulla tragoedia, nulla rixa. Si quid exstiterit,
protinus aut medetur aut componit ; neque quenquam
unquam dimisit ut inimicum aut ut inimicus. Quin
huius domus fatalis quaedam videtur felicitas, in qua
nemo vixit qui non provectus sit ad meliorem fortu- 230
nam, nullus unquam ullam famae labem contraxit.
Quin vix ullos reperias quibus sic convenerit cum
matre, ut huic cum noverca ; nam pater iam alteram
induxit ; utramque non minus adamavit ac matrem.
Porro erga parentes ac liberos sororesque sic affectus 235
est, ut nec amet moleste nec usquam desit officio
pietatis.

Animus est a sordido lucro alienissimus. Liberis
suis semovit e facultatibus quod illis satis esse putat ;

240 quod superest largiter effundit. Cum advocationibus
adhuc aleretur, nulli non dedit amicum verumque
consilium, magis illorum commodis prospiciens quam
suis ; plerisque solitus persuadere uti litem compone-
rent, minus enim hic fore dispendii. Id si minus
245 impetrabat, tum rationem indicabat qua possent quam
minimo dispendio litigare, quando quibusdam hic
animus est, ut litibus etiam delectentur. In urbe
Londoniensi, in qua natus est, annos aliquot iudicem
egit in causis civilibus. Id munus ut minimum habet
250 oneris (nam non sedetur nisi die Iovis usque ad prandium), ita cum primis honorificum habetur. Nemo
plures causas absolvit, nemo se gessit integrius ; re-
missa plerisque pecunia quam ex praescripto debent
qui litigant. Siquidem ante litis contestationem actor
255 deponit tres drachmas, totidem reus, nec amplius quicquam fas est exigere. His moribus effecit ut civitati
suae longe carissimus esset.

Decreverat autem hac fortuna esse contentus, quae
et satis haberet auctoritatis, nec tamen esset gravibus
260 obnoxia periculis. Semel atque iterum extrusus est in
legationem ; in qua cum se cordatissime gessisset,
non conquievit serenissimus rex Henricus eius nominis octavus, donec hominem in aulam suam pertraheret. Cur enim non dicam pertraheret? Nullus
265 unquam vehementius ambiit in aulam admitti quam
hic studuit effugere. Verum cum esset optimo regi in
animo familiam suam eruditis, gravibus, cordatis et
integris viris differtam reddere, cum alios permultos,
tum Morum in primis accivit ; quem sic in intimis
270 habet, ut a se nunquam patiatur discedere. Sive seriis
utendum est, nihil illo consultius ; sive visum est regi

fabulis amoenioribus laxare animum, nullus comes
festivior. Saepe res arduae iudicem gravem et corda-
tum postulant ; has sic Morus discutit, ut utraque
pars habeat gratiam. Nec tamen ab eo quisquam 275
impetravit ut munus a quoquam acciperet. Felices res
publicas, si Mori similes magistratus ubique praeficeret
princeps ! Nec interim ullum accessit supercilium.

Inter tantas negotiorum moles et veterum amicu-
lorum meminit et ad literas adamatas subinde redit. 280
Quicquid dignitate valet, quicquid apud amplissimum
regem gratia pollet, id omne iuvandae reipublicae,
iuvandis amicis impendit. Semper quidem adfuit animus de cunctis bene merendi cupidissimus, mireque
pronus ad misericordiam : eum nunc magis exserit, 285
quando potest plus prodesse. Alios pecunia sublevat,
alios auctoritate tuetur, alios commendatione pro-
vehit : quos alioqui iuvare non potest, his consilio
succurrit : nullum unquam a se tristem dimisit. Diceres Morum esse publicum omnium inopum patronum. 290
Ingens lucrum sibi putat accessisse, si quem oppres-
sum sublevavit, si perplexum et impeditum explicuit,
si alienatum redegit in gratiam. Nemo lubentius col-
locat beneficium, nemo minus exprobrat. Iam cum
tot nominibus sit felicissimus, et felicitatis comes fere 295
soleat esse iactantia, nullum adhuc mortalium mihi
videre contigit qui longius abesset ab hoc vitio.

Sed ad studiorum commemorationem redeo, quae
me Moro mihique Morum potissimum conciliarunt.
Primam aetatem carmine potissimum exercuit. Mox 300
diu luctatus est, ut prosam orationem redderet mol-
liorem, per omne scripti genus stilum exercens ; qui
cuiusmodi sit, quid attinet commemorare ? tibi prae-

sertim qui libros eius semper habeas in manibus.
305 Declamationibus praecipue delectatus est, et in his,
materiis paradoxis, quod in his acrior sit ingeniorum
exercitatio.   Unde adolescens etiamnum dialogum mo-
liebatur, in quo Platonis communitatem ad uxores
usque defendit.   Luciani Tyrannicidae respondit, quo
310 in argumento me voluit antagonistam habere; quo
certius periculum faceret ecquid profecisset in hoc
genere.   Utopiam hoc consilio edidit, ut indicaret quibus rebus fiat ut minus commode habeant respublicae;
sed Britannicam potissimum effinxit, quam habet peni-
315 tus perspectam cognitamque.   Secundum librum prius
scripserat per otium ; mox per occasionem primum
adiecit ex tempore.   Atque hinc nonnulla dictionis
inaequalitas.

Vix alium reperias qui felicius dicat ex tempore ;
320 adeo felici ingenio felix lingua subservit.   Ingenium
praesens et ubique praevolans, memoria parata; quae
cum omnia habeat velut in numerato, prompte et
incontanter suggerit quicquid tempus aut res postulat.
In disputationibus nihil fingi potest acutius, adeo
325 ut summis etiam theologis saepe negotium facessat, in
ipsorum harena versans.   Ioannes Coletus, vir acris
exactique iudicii, in familiaribus colloquiis subinde dicere solet Britanniae non nisi unicum esse ingenium ;
cum haec insula tot egregiis ingeniis floreat.

330   Verae pietatis non indiligens cultor est, etiam si ab
omni superstitione alienissimus.   Habet suas horas,
quibus Deo litet precibus, non ex more, sed e pectore
depromptis.   Cum amicis sic fabulatur de vita futuri
seculi, ut agnoscas illum ex animo loqui neque sine
335 optima spe.   Ac talis Morus est etiam in aula.   Et

postea sunt qui putent Christianos non inveniri nisi
in monasteriis.

Tales viros cordatissimus rex in familiam suam
atque adeo in cubiculum non solum admittit verum
etiam invitat; nec invitat modo verum etiam pertra- 340
hit. Hos habet arbitros ac testes perpetuos vitae
suae, hos habet in consiliis, hos habet itinerum comites. Ab his stipari gaudet potius quam luxu perditis
iuvenibus aut mulierculis, aut etiam torquatis Midis
aut insinceris officiis; quorum alius ad voluptates 345
ineptas avocet, alius ad tyrannidem inflammet, alius
ad expilandum populum novas technas suggerat. In
hac aula si vixisses, Huttene, sat scio rursum aliam
aulam describeres, et aulas odisse desineres. Quanquam
tu quoque cum eo principe vivis ut integriorem nec 350
optare possis; neque desunt qui rebus optimis faveant.
Sed quid ista paucitas ad tantum examen insignium
virorum, Montioii, Linacri, Pacaei, Coleti, Stocschleii,
Latimeri, Mori, Tunstalli, Clerici atque aliorum his
adsimilium? quorum quemcunque nominaveris, mun- 355
dum omnium virtutum ac disciplinarum semel dixe-
ris. Mihi vero spes est haudquaquam vulgaris fore ut
Albertus, unicum his temporibus nostrae Germaniae
ornamentum, et plures sui similes in suam allegat
familiam, et ceteris principibus gravi sit exemplo, ut 360
idem et ipsi suae quisque domi facere studeant.

Habes imaginem ad optimum exemplar a pessimo
artifice non optime delineatam. Ea tibi minus pla-
cebit, si continget Morum nosse propius. Sed illud
tamen interim cavi, ne mihi possis impingere, quod 365
tibi minus paruerim, neve semper opprobres nimium
breves epistolas. Etiamsi haec nec mihi scribenti

visa est longior, nec tibi legenti, sat scio, prolixa videbitur: id faciet Mori nostri suavitas. Bene vale.
370   Antuerpiae decimo Calendas Augusti Anno M. D. XIX.

XXVII. A DISHONEST LONDONER

Hoc nuper cuidam accidit apud Britannos, medico
mihi ut patria communi, ita et amicitia coniunctissimo.
Civem quendam Londoniensem, virum egregie nummatum et habitum adprime probum, arte curaque sua
5 liberarat, non sine suo ipsius periculo ; nam is pesti-
lentissima febre tenebatur.   Et ut fit in periculis,
medico montes aureos fuerat pollicitus, si non gravare-
tur sibi in tanto vitae discrimine dexter adesse, obte-
status et amicitiam quae illi cum eo intercedebat.   Quid
10 multis ? Persuasit et iuveni et Germano.   Adfuit,
nihil non fecit ; revixit ille.   Ubi verecunde de pecunia
medicus admonuerat, elusit nugator, negans de mercede
quicquam addubitandum, ceterum arcae nummariae
clavem penes uxorem esse: 'et nosti' inquit 'mulierum
15 ingenium.   Nolo sentiat tantam pecuniae summam a
me datam.'   Deinde post dies aliquot hominem obvium
forte factum, iam nitidum et nulla morbi vestigia prae
se ferentem, appellavit et nondum datae mercedis ad-
monuit.   Ille constanter asseverare pecuniam suo iussu
20 ab uxore numeratam esse.   Medicus negare factum.
Hic vide quam ansam bonus ille vir arripuerit.   Cum
forte medicus eum Latine numero singulari appellasset,
ibi velut atroci lacessitus iniuria, 'Vah,' inquit 'homo
Germanus tuissas Anglum ?' Moxque velut impos
25 animi, prae iracundia caput movens diraque minitans,
subduxit sese.   Atque ad eum modum honestus ille
civis elusit, dignus profecto quem sua pestis repetat.

Risimus quidem fabulam, nec tamen sine dolore propter indigne frustratum amicum, nec sine tam insignis ingratitudinis admiratione. Referunt gratiam 30 leones in periculis adiuti ; meminerunt officii dracones. Homo homini, amicus amico sic merito, pro mercede quae nulla satis digna rependi poterat, ludibrium reponit. Atque haec in facti detestationem diximus, non in gentis odium. Nec enim par est ex hoc uno nebulone 35 Britannos omnes aestimari.

XXVIII. THE CONDITION OF ENGLISH HOUSES

ERASMUS ROTERODAMUS FRANCISCO CARDINALIS
EBORACENSIS MEDICO S.

FREQUENTER et admirari et dolere soleo, qui fiat ut Britannia tot iam annis assidua pestilentia vexetur, praesertim sudore letali, quod malum paene videtur habere peculiare. Legimus civitatem a diutina pestilentia liberatam, consilio philosophi mutatis aedificiis. 5 Aut me fallit animus, aut simili ratione liberari possit Anglia. Primum quam coeli partem spectent fenestrae ostiave nihil habent pensi : deinde sic fere constructa sunt conclavia, ut nequaquam sint perflabilia, quod inprimis admonet Galenus. Tum magnam parietis 10 partem habent vitreis tessellis pellucidam, quae sic admittunt lumen ut ventos excludant, et tamen per rimulas admittunt auram illam colatam, aliquanto pestilentiorem, ibi diu quiescentem. Tum sola fere strata sunt argilla, tum scirpis palustribus, qui subinde sic 15 renovantur, ut fundamentum maneat aliquoties annos viginti, sub se fovens sputa, vomitus, proiectam cervisiam et piscium reliquias, aliasque sordes non nominandas.

Hinc mutato coelo vapor quidam exhalatur, mea senten-
20 tia minime salubris humano corpori.

Adde quod Anglia non solum undique circumfusa
est mari, verum etiam multis in locis palustris est sal-
sisque fluminibus intersecta; ne quid dicam interim
de salsamentis, quibus vulgus mirum in modum dele-
25 ctatur. Confiderem insulam fore multo salubriorem si
scirporum usus tolleretur; tum si sic exstruerentur
cubicula, ut duobus aut tribus lateribus paterent coelo;
fenestris omnibus vitreis ita confectis, ut totae possent
aperiri, totae claudi, et sic claudi ut non pateret per
30 hiantes rimas aditus ventis noxiis. Siquidem ut aliquando salutiferum est admittere coelum, ita nonnunquam salutiferum est excludere. Ridet vulgus si quis
offenditur coelo nubiloso. Ego et ante annos triginta,
si fueram ingressus cubiculum in quo mensibus aliquot
35 nemo versatus esset, ilico incipiebam febricitare. Con-
ferret huc, si vulgo parcior victus persuaderi posset ac
salsamentorum moderatior usus; tum si publica cura
demandaretur aedilibus, ut viae mundiores essent a
caeno, curarentur et ea quae civitati vicina essent.

40 Ridebis, scio, otium meum, qui his de rebus sollicitus
sim. Faveo regioni quae mihi tam diu praebuit hospitium; et in qua libens finiam quod superest aevi, si liceat.
Non dubito quin tu haec pro tua prudentia rectius no-
ris; libuit tamen admonere, ut si meum iudicium cum
45 tuo consentiat, haec viris principibus persuadeas. Haec
enim olim regum cura consuevit esse. Scripsissem
perlibenter reverendissimo domino Cardinali; sed nec
otium erat nec argumentum, nec ignoro quibus ille
negotiis distringatur. Bene vale, vir humanissime;
50 cui debeo plurimum.

XXIX. FISHER'S STUDY AT ROCHESTER

ERASMUS ROTERODAMUS IOANNI EPISCOPO
ROFFENSI S. D.

REVERENDE Praesul, maerens ac dolens hoc verbum legi in epistola tua, ' Utinam vivum me reperiat liber,' &c. Auxit famulus dolorem, qui nuntiavit affligi te adversa valetudine. Nihil indulges isti corpusculo. Suspicor magnam tuae valetudinis partem nasci ex 5 loco. Nunc enim medicum agam, si pateris. Mare vicinum et⁺lutum subinde maris decessu nudatum coelum exasperat. Et habes bibliothecam undique parietibus vitreis, qui per rimas transmittunt auram subtilem et, ut medici loquuntur, colatam, pestilentem 10 raris et imbecillis corpusculis. Nec me fugit quam assiduus sis in bibliotheca, quae tibi Paradisi loco est. Ego si in tali loco commorer tres horas, aegro· tem. Magis conveniret cubiculum pavimento ligneo et parietibus undique ligno contabulatis. Spirant 15 enim lateres et calx noxium quiddam. Scio pie viventibus mortem non esse formidabilem, sed totius ecclesiae refert talem episcopum esse superstitem in tanta bonorum inopia.

Basileae. pridie nonas Septemb. Anno M. D. XXIIII. 20

NOTES

I

[An incident related in the *Ecclesiastes* (see p. 15). Erasmus was ordained in 1492 by this Bishop of Utrecht, who was a son of Philip the Good, Duke of Burgundy; and perhaps heard this story at the time.]

1. fuerit] Either (1) fut. perf. indic., for which *erit* might equally well stand; or (2) perf. subj. of qualified statement. Cf. *crediderim*, 'I am inclined to believe.'

5. profana dicione onustis] At the time when Erasmus was ordained the diocese of Utrecht had been torn for more than twenty years with civil war; in the course of which the Bishop had at one time been a prisoner.

19. ii quibus, &c.] The officials to whom fees were payable by successful candidates.

21. Hieronymos] Jerome († 420) was one of the Latin Fathers of the Church.

II

[A letter to a young merchant, Christian Northoff of Lubeck, who had come to Paris to study. Erasmus was teaching him; and one of the modes of instruction was a daily interchange of Latin letters between master and pupil. The scene here depicted, of course with some licence of exaggeration, is laid in the boarding-house where Erasmus was lodging; the mistress of which was a woman of violent temper.]

Tit. S. D.] *salutem dicit*, the common form of greeting at the head of letters; often occurring as s. p. d., salutem plurimam dicit.

1. mel Atticum] An endearing mode of address.

2. *Ne* with the imperative is ante-classical (Plaut. and Ter.), and poetical.

5. pyxidem] One of the *munera* of l. 64.

6. Pandora was the first woman created, according to Greek mythology. She brought down from heaven a box, which she was forbidden to open; but in curiosity she raised the lid, and at once all the evils to which mankind is subject flew out and spread over the earth. Epimetheus was her husband.

13. togata ... palliata] The classical distinction between two kinds of Roman drama, according as the scene was laid

in Roman or in Greek surroundings. In the former the *toga* was worn by the principal characters; in the latter the Greek *pallium*.

14. **planipedia**] Acted by a *planipes*, a kind of pantomime; so-called because he used neither the *soccus* of comedy nor the *cothurnus* of tragedy in his performances.

15. **epitasis**] A Greek technical term, for the crisis of a play.

23. **catastrophen**] Also a Greek technical term; the point at which a play turns, leading to the conclusion.

26. **optasse**] Dependent on a verb of statement understood from *laudo*. A common idiom.

41. **Caroli regis**] Charles VIII, King of France, 1483-98.

42. **Gentil Gerson**] Evidently *gentil garçon*, 'fine gentleman.'

47. **flammeum**] *sc.* velum. A flame-coloured veil, properly worn by brides.

53. **surdae cecinisse**] A proverbial phrase of labouring without result; 'to waste one's breath.' 'Ortum videtur a ridiculo casu, quo saepe fit ut hospes incidat in surdum, quem percontetur multa, ridentibus iis qui surdum noverunt.' Erasmus, *Adagia*.

66. **alienis manibus**] by getting a friend to write his Latin letter for him.

67. **frontis**] 'Frons habita est antiquitus pudori sacra, et facies item. Inde frontem aut faciem proverbio perfricuisse dicuntur, qui pudorem omnem dedidicerunt, velut absterso manu a vultu pudore.' Erasmus, *Adagia*.

70. Patroclus was the friend of Achilles. When Achilles refused to fight against Troy, Patroclus borrowed his arms, and was killed in the battle.

71. **Quid simile?**] *sc.* inter nos.

III

[This letter describes a journey made in the exceptionally cold winter of 1498-9, when Erasmus paid a visit to his friend, James Batt. Batt was then at the castle of Tournehem, near Calais, acting as tutor to a young nobleman, the son of Anne of Borsselen, Lady of Veere, near Middelburg; to whose patronage he was generously trying to introduce Erasmus.]

TIT. **Guilhelmo**] This form of the name William represents the German Wilhelm; Gulielmus is more akin to the Italian Guglielmo; Guielmus, which also occurs, to the French Guillaume.

5. **Aeolum**] The king of the winds, whom Juno had

persuaded to oppose the Trojan fleet under Aeneas as it
sailed from Troy to Italy. See Verg. *Aen.* 1. 50 seq.

14. **Vidisses**] *sc.* si adfuisses.

31. Bellerophon, after having vanquished the Chimaera on
Pegasus, wished to fly with his winged steed to heaven.
But Pegasus threw him off and ascended alone, to become
a constellation in the sky.

35–6. **credas . . . accidisset**] The slight irregularity of
tense is easily intelligible.

35. Lucian, *fl.* 160 A.D., was a Syrian citizen of the
Roman Empire. His writings, which are mostly satirical,
are in Greek. One of them is entitled *Vera Historia*.

57. **allevare**] 'to exaggerate,' opp. to *elevare*, 'to disparage.'
Allevare can also mean 'to understate', but the sequence of
thought is not so natural.

62. **scribebam**] The epistolary imperfect, representing
the time of the action when the words would be read by the
recipient of the letter.

patriam] Holland.

64. **convictu**] Evidently it had been proposed that
Erasmus should come and live with Lord Mountjoy in Paris
as his tutor.

IV

[An extract from a letter to an Italian friend domiciled in
France. Erasmus was probably writing from Bedwell in
Hertfordshire, where Sir William Say, Lord Mountjoy's
father-in-law, had a country-house. For the practice which
Erasmus playfully describes in the second paragraph, see an
additional note on p. 157.]

4. **invita Minerva**] 'refragante ingenio, repugnante
natura, non favente coelo.' Erasmus, *Adagia*. Minerva was
the goddess of wisdom.

6. **merdas**] It has been well pointed out that the use of
so coarse a word is foreign to Erasmus, whose writings,
though often free, are marked by a delicacy unusual in his
age; and that he is therefore probably alluding to the
compositions of his correspondent, who knew no such
restrictions, e.g. in his *Querela Parrhisiensis pavimenti*

7. **ut . . . pereat**] A wish.

9. **alatis**] Like Mercury, the messenger of the gods, who
for his journeys attached winged sandals to his feet.

10. Daedalus was a mythical artificer who constructed the

labyrinth for Minos, king of Crete; but being detained there against his will, he made wings for himself and his son Icarus and flew away to Sicily.

21. Solon (c. 638-558), the Athenian lawgiver, is said to have bound the people with an oath to observe his laws until he returned; and then to have absented himself from Athens for ten years.

23. **propediem**] Erasmus was expecting to return to Paris in the summer of 1499. His visit to Oxford was only undertaken to fill an interval during which he was detained in England.

V

[This incident occurred in the autumn of 1499. Erasmus was staying on an estate belonging to Lord Mountjoy at Greenwich, and was visited one day by Thomas More with a friend Arnold from London. In the course of a walk they came to Eltham Palace ('a castle situated between two parks,' as it is described by two ambassadors in 1514), the splendid banqueting hall of which is still standing, and there paid their respects to the royal children with their tutor, John Skelton, the poet. Arthur, Prince of Wales, was then absent with his father: but the young Prince Henry, afterwards Henry VIII, received the friends gracefully. They stayed to dine in the hall, but apparently not at the 'high table'. The narrative is found in a Catalogue of Erasmus' writings composed in 1523.]

7. **animi causa**] Relaxation to the mind rather than exercise for the body was the object of the walk.

12. **novem**] Henry was little more than 8, having been born on 2 June 1491; Margaret was born on 29 Nov. 1489 and was therefore not yet 11. The other ages given are correct. Inaccuracy in such trifling matters need not surprise us, seeing that Erasmus was writing more than twenty years after the visit.

16. **Iacobo**] James IV of Scotland, who was killed at Flodden, 9 Sept. 1513.

17. Mary afterwards became Queen of France by her marriage with Louis XII in 1514.

26. *vel* here intensifies the word that follows. It is often so used with superlatives.

VI

[A letter written to Lord Mountjoy, who had intended to

join Erasmus in Oxford, but had been prevented by a summons to attend in Westminster Hall on 21 Nov. 1499, for the trial of the Earl of Warwick in connexion with the rising of Perkin Warbeck.]

6. John Colet (c. 1466-1519) was now lecturing in Oxford. For his influence on Erasmus see X; and Mr. Seebohm's *Oxford Reformers*.

Richard Charnock was Prior of St. Mary's College in Oxford; the Augustinian house, in which Erasmus was living. It is now practically demolished.

9. **Horatius]** *Ep.* 2. 1. 63:

Interdum vulgus rectum videt, est ubi peccat.

11. **cuius]** *sc.* vulgi.

12, 3. **nostro illo ingressu]** Erasmus' arrival at Oxford; which for some reason seems to have been discouraging.

35. **tum ... tum]** A post-Augustan construction, for which Cicero uses *cum ... tum.*

VII

[A letter written to describe a dinner-party in a College hall in Oxford ; possibly at Magdalen, to which Colet, who was presiding, is thought to have belonged. With the exception of Charnock, the other guests mentioned have not been identified. The letter is to be dated in Nov. 1499 ; Sixtin, to whom it is addressed, was a Dutchman resident in Oxford. The manuscript in which Erasmus pretended to have found this story of Cain is, of course, fictitious.]

TIT. **Domino]** The title of a Bachelor of Arts.

2. **convivio]** 'Bene maiores nostri accubitionem epularem amicorum, quia vitae coniunctionem haberet, convivium nominarunt, melius quam Graeci qui hoc idem compotationem ⟨symposium⟩ vocant.' Cic. *Sen.* 13. 45.

6. Epicurus (342–270) was a Greek philosopher, who is traditionally but wrongly regarded as having taught that pleasure is the end of life.

7. **conditum]** *condītum*, not *condĭtum.*

Pythagoras (sixth cent. B. C.) was one of the greatest Greek philosophers.

20, 1. **laevum latus clausimus]** The left side was regarded as more exposed to attack than the right, which had the sword-arm. It was therefore a compliment to place oneself to the left of a friend, as though to protect him in case of need. Here nothing more is meant than that Erasmus sat on the Theologian's left.

25. **poculentum**] connected with the wine-cups.

36. **Aliud**] *sc.* quam solebat.

37. **maiorque**] cf. Verg. *Aen.* 6. 49–51, of the Sibyl:

maiorque videri,

Nec mortale sonans, adflata est numine quando
Iam propiore dei. '

53. **legere**] When the narrator is an eyewitness, the present infinitive is usual, even of past time.

80. **rhomphaea**] a sword ; the Septuagint word.

97. **omniiuga**] This word is not classical ; but *multiiugus,* 'manifold' (literally, of many yoked together, cf. *biiugus, quadriiugus*), is common.

110. **quid**] 'for what purpose ?'

129. **id genus**] An adjectival accusative, equivalent to genitive of quality ; cf. virile secus.

133. **culmi**] The stalks of Cain's fine crops.

VIII

[A letter to an English friend, Robert Fisher, who had been a pupil of Erasmus in Paris in 1497 and had then gone to study law in Italy.]

4. **in ea . . . regione**] Italy was at this time regarded as being, and in fact was, more advanced than the rest of Europe in classical learning and refinement. In consequence to visit Italy was the ambition of every scholar.

sis] In classical Latin when two reasons are given, of which one is denied and the other affirmed, the verb in the affirmation is usually in the indicative.

26. Wm. Grocin (c. 1416–1519) was one of the first to teach Greek in Oxford. He was now resident in London.

28. Thos. Linacre (c. 1460–1524) was an Oxford scholar who had recently returned from Italy and was now in London. He afterwards became one of the first physicians of his age.

IX

[A letter describing Erasmus' journey to Paris on his return from England in 1500. On 27 Jan. he was at Dover, whence he crossed to Boulogne. He went then to Tournehem Castle and after spending two nights with Batt set out for Paris. He reached Amiens in the afternoon of 31 Jan., started on with horses the same evening and slept at an unnamed village. On 1 Feb. he passed to the west of Clermont and slept at St. Julien (?), reaching St. Denis and Paris on 2 Feb.]

2. vigilias] Writings, composed doubtless by the 'midnight oil'; in which Erasmus rightly considered his wealth to lie.

7. lusimus] 'met.'

8. Cretizavimus] 'We behaved like a Cretan.' Cf. the English saying 'to give tit for tat'. Erasmus means that he gave the messenger full measure of conversation in return.

9. Anglica fata] when preparing to leave England Erasmus had £20 in his pocket. But a law of Edward III, re-enacted by Henry VII, forbade the exportation of silver and gold; and in consequence all but £2 was taken from him in the Dover custom-house. This very real calamity he had of course related to Batt at Tournehem.

13. Aeolum] Cf. III. 5 n.

21. Mercury was the god of traders and thieves. Cf. Ovid, *Fasti* 5. 673 seq.

quɔque] *quŏque*, not *quŏque*.

26. divo Iuliano] There is no village of St. Julien which satisfies the required conditions. Juilly (Iuliacum) between Dammartin and Meaux is perhaps intended.

44. iugulos] *iugulum*, neuter, is the common form.

45. victimae] Predicative Dative of purpose.

51. *obolere* is only used intransitively in post-Augustan Latin.

55. mecum] *sc.* reputo.

Ciceronianum] *Brut.* 80. 278.

60. quasnam] Money of what country or of what coinage. The common difficulty of travellers was then increased by the variety of coinages in circulation within the same country. A further trouble was that through use or 'clipping' one coin might differ from another of the same value; and 'light' coins were always liable to be weighed and refused.

65. postulatum] A particular kind of florin. Mr. Shilleto suggests that the name is connected with *pistolet* (or *pistole*), a French coin of this period.

67. scutatum] A crown, Fr. écu; in l. 136 one of these is specified.

74. Accedebant] At this point the narrative reverts to 31 Jan. It is resumed again at l. 128.

88. coronati aurei] gold crowns.

91. vacuam] A ruse to pretend that the purse was hardly worth keeping.

96. religioni] 31 Jan. 1500 was a Friday; a day commonly observed by fasting.

100. sibilis] 'in whispers.'

136　SELECTIONS FROM ERASMUS

107-8. **ad laevam**] *sc.* manum.

111. **Sicut meus, &c.**] Hor. *Sat.* 1. 9. 1, 2.

118. **huc**] Apparently not the house mentioned in l. 114.

119, 20. **quod . . . acceptus fuissem**] *me acceptum fuisse* would be more usual.

144. **cedo**] *cĕdo*, not *cēdo*.

151. **Virginis matris purgatio**] The Feast of the Purification; 2 Feb.

179, 80. **Quid multa?**] *sc.* dicam.

186. **Gallice**] *sc.* loqui.

201. **donec**] lit. 'until'; here marks the final action to be taken, when any suspicions on the part of their companions had been allayed.

　　indusiati] Strictly 'wearing an under-garment' (*indusium*); so here 'partially dressed'.

217. **hora noctis undecima**] About 5 a. m. ; according to the Roman reckoning, in which the day began at sunrise.

219. **Quid multis?**] *sc.* verbis opus est.

228. **existimaret**] An example of 'contamination', i. e. the combination, through confusion of thought, of two constructions, either of which would be correct. The idea in the robber's mind here could be expressed equally well by 'nisi quod nos quam pecuniosissimi essemus', the subjunctive indicating not a fact but only his opinion ; or by 'nisi quod nos quam pecuniosissimos esse existimabat', where the opinion is definitely stated. By 'contamination' with *essemus, existimabat* is put into the subjunctive. Cf. Cic. *Off.* 1. 13 'Rediit paulo post, quod se oblitum nescio quid diceret'.

230. **Minusculum**] 'Just too small a sum.'

233. **duodenarios**] Coins worth 12 pence ; douzains.

234. **divum Dionysium**] St. Denis, 4½ miles from Paris: which seems to have been regarded as practically the end of the journey.

235. **lances**] Cf. l. 60 n.

258. **ponderi**] The weight used in the scales; not as in l. 256.

264. **in his**] 'in these modern coins.'

268. **intellegeret**] Cf. l. 228 n.

272. **nimis quam**] *quam* strengthens *nimis*, as freq. in Plautus.

291. **ad sacrum**] To mass, in the monastery opposite.

X

[A letter written from Paris in the winter of 1504, after Erasmus had returned from two years' sojourn in the Netherlands. The influence exerted upon him by Colet in Oxford five years before is clearly shown.]

14. persuaserim] Cf. I. 1 n.

19. nihil dum] 'nothing as yet.' Cf. *nondum*.

tuarum commentationum] Colet had been lecturing on the Epistles of St. Paul, at the time of Erasmus' visit to Oxford. Cf. XXIV. 308, 9.

23. The precise date of Colet's D.D. is not known. He was now administering the Deanery of St. Paul's, though he did not actually receive it until May 1505.

31. velis equisque] 'id est summa vi summoque studio.' Erasmus, *Adagia*.

41. ad Romanos] Cf. XVI. 183, 4. Never completed.

49. Origen (*fl.* 230 A. D.) was one of the Greek Fathers of the Church. Erasmus was engaged on an edition of his works at the time of his death in 1536.

50. *evolvere*, to unroll, is the classical word for opening and reading a book ; belonging to the days when books were rolls (*volumina*) of papyrus.

54. Lucubratiunculas] Erasmus published a volume with this title in 1503 or 1504. Its contents are sufficiently indicated here. One of them was the *Enchiridion Militis Christiani*, which was a manual of practical Christianity ; its title, which may mean either 'dagger' or 'handbook', being perhaps intentionally ambiguous.

68. Erasmus had recently published a Panegyric, which he had delivered at Brussels on 6 Jan. 1504 in the presence of Philip, Archduke of Austria, and son of the Emperor Maximilian, congratulating the Archduke on the success of his recent journey to Spain ; to the thrones of which he was, through his wife, the heir apparent.

103. inscriptum] The *Adagia* were dedicated to Mountjoy.

106. studio] 'intentionally.'

124. Christopher Fisher was an English lawyer in the service of the Papal Court: who was at this time resident in Paris.

XI

[This incident occurred in January 1506, when Erasmus was paying his second visit to England. It is narrated in 1523, in the catalogue of Erasmus' writings, from which V is taken.]

3. Lovanii] During the years 1502–4.

4. Philelphus] Francesco Filelfo (1398–1481) an Italian

humanist. Erasmus was incited to attempt the translation by Filelfo's example, not by any direct communication.

6. **tum** reverts back to the *tum* in l. 3, after the digression.

7. **Paludanus**] John Desmarais (?), Public Orator of Louvain University.

9, 10. **montibus ... aureis**] 'Proverbialis hyperbole de iis qui immensa promittunt spesque amplissimas ostentant,' Erasmus. *Adagia*.

17. **Cantuariensi**] Warham. See XXII and XXIII.

25. **redimus**] From Lambeth to London.

38, 9. **nostrae farinae**] 'nostri gregis, nostrae condi-tionis.' Erasmus, *Adagia*. *Farina* is lit. 'meal': so 'sub-stance'; so 'quality'.

41. **Badio**] Josse Bade, a Paris printer.

42. The Iphigenia in Aulis is another play by Euripides.

44. **unam**] *sc.* fabulam.

XII

[A letter written in 1507 to the famous printer Aldus (1449–1515) proposing a new edition of the translations from Euripides mentioned in XI. Aldus assented and the book appeared in Dec. 1507.]

2. **utrique**] Greek and Latin.

7. **volitaturus**] Cf. Ennius in Cic. *Tusc.* 1. 15. 34:

Nemo me lacrimis decoret nec funera fletu
Faxit. Cur? Volito vivu' per ora virum.

20. Paul of Aegina was a Greek writer on medicine, whose works were much esteemed in the sixteenth century.

27. William Latimer (c. 1460–1545) was an Oxford scholar of great fame in his own day. He had recently been study-ing in Italy.

28. Cuthbert Tunstall (1474–1559) was a scholar and lawyer, who after discharging important embassies was made Bishop of London in 1522, and Bishop of Durham in 1530. He also had been studying in Italy shortly before this time.

33. Badius' edition had been published in Sept. 1506.

38, 9. Cf. Soph. *Ajax* 362, 3:

Εὔφημα φώνει· μὴ κακὸν κακῷ διδοὺς
Ἄκος, πλέον τὸ πῆμα τῆς ἄτης τίθει.

41. **minutioribus illis**] The famous 'italic' type, first cast for Aldus, and said to have been modelled on the hand-writing of Politian, the Italian humanist.

54. **Mercurius**] Cf. IX. 21 n.

XIII

[An extract from a letter written in 1531 to an inmate of a Venetian monastery, St. Antonio in Castello. It describes an interview which Erasmus had with Cardinal Grimani in 1509, just before leaving Rome to return to England. Grimani, who was one of the most influential cardinals at that time, resided in a palace built by Paul II—now the Palazzo di Venezia—near the Church of St. Mark. On his death in 1523 he left his valuable library to the monastery above-mentioned: whence it has passed into the Library of St. Mark's at Venice.]

12. **ut tum abhorrebam**] This clause is explanatory of *tandem*.

15. **musca**] A figurative expression, meaning 'the slightest sign'. Cf. 'as big as a bee's knee', of something small.

55. **eram relicturus**] = *reliquissem*. An idiomatic use with the future participle. Cf. Livy 1. 40 'Gravior ultor caedis, si superesset, rex futurus erat'.

XIV

[An extract from a letter dated 29 Oct. 1511 to Colet, who was then engaged on the foundation of St. Paul's School, and had asked Erasmus to make inquiries at Cambridge for a suitable under-master.]

2. **magistros**] *sc.* artium.

19. **nos reliquimus**] Matt. 19. 27.

XV

[An extract from a letter written to a French scholar in 1532 from Freiburg. It describes Erasmus' meeting with Cardinal Canossa, who had been sent to London by the Pope in June 1514 to endeavour for peace between England and France. Andrew Ammonius, who arranged the meeting, was an Italian who held the important post of Latin Secretary to Henry VIII, and was endowed with a Canonry in St. Stephen's Palace at Westminster, on the site of the present Houses of Parliament. He was an intimate friend of Erasmus, and as Canon had an official residence in St. Stephen's, on the banks of the Thames.]

1. **immortalitati**] By dedicating a book to him.

5. **cultu profano**] In the dress of a layman; instead of in his proper ecclesiastical garb.

14. **persuasus**] An ante-classical use.

16. **praesedit**] 'took precedence of me in sitting down'.

37. **Itali**] There were many Italian merchants and agents resident in London at this time.

58. **pertraxerat**] Cf. XIII. 55 n.

62. **dirimit**] Cuts the house off from neighbouring buildings, i. e. surrounds it.

63. **officii causa**] As a polite attention.

65. **redire**] to London.

67. **aperit . . . fabulae scenam**] Draws the curtain, i. e. discloses the facts.

70. **surdo**] Cf. II. 53 n.

XVI

[When Erasmus became famous, a friend of his early days at Steyn, Servatius Rogerus, who had now risen to be Prior, wrote to him reproaching him for having abandoned the dress of his order and urging him to return to the monastery. The letter reached Erasmus in July 1514, when he was on his way to Basel and was staying a few days at Hammes Castle, an important military post in the English dominion near Calais, of which his old patron, Lord Mountjoy, was lieutenant. In reply Erasmus wrote an 'apologia pro vita sua', giving an account of himself and stating his reasons for the belief that he could make better use of his talents if he remained free. It is an important and confidential document; and Erasmus therefore never published it. But copies of it were being circulated in manuscript many years before his death.]

17. **Cornelius**, of Woerden, to the north of Gouda, was a school-friend of Erasmus. He had entered the monastery of Steyn and persuaded Erasmus to follow his example.

24. **quarum istic nullus usus**] This must not be taken to mean that good learning was unknown to the monastery; for Erasmus read a great deal in the classics at Steyn; but that a monastery was not a suitable home for a scholar.

40. **annum probationis**] The constitutions of the Augustinian Order provided that a novice could not make his profession as a Canon until he had completed his sixteenth year and had passed at least a year and a day in probation.

74. **calculo**] Stone in the bladder.

84. **confratres**] Brother belonging to the same order.

100. **concanonicos**] fellow-canons. The word is appropriate here as Steyn was a house of Augustinian canons.

104. **Solonis**] Cf. IV. 21 n.

Pythagoras (cf. VII. 7 n.) travelled in Egypt and the

East in search of knowledge, and ultimately settled in Magna Graecia. By birth he was a native of Samos.

Plato (c. 429–347) after the death of Socrates in 399 travelled in Egypt, Sicily, and Magna Graecia.

120. hic ipse] Leo X, who was Pope 1513-21.

135. eleemosynario] almoner. Wolsey (c. 1475-1530) now held this post, and was also Bishop of Lincoln.

136. Regina] Catharine of Aragon.

145. sacerdotium] The living of Aldington in Kent was given to Erasmus by Warham in March 1512. It was worth £33 6s. 8d. yearly; but after a few months Erasmus was allowed to resign, an annual pension of £20 being charged on the living and paid to him.

175. Erasmus' *De Copia*, first published in July 1512, was a treatise designed to assist the beginner in Latin composition by supplying him with variety of words and abundance of phrases.

178. castigavi] 'I have produced a critical edition of.'

180. obelis] The critical marks († †) used to denote suspected passages in texts. iugulavi] 'I have disposed of', lit. 'have cut their throats'.

201. cultu canonicorum] The proper dress of an Augustinian canon consisted of a 'tunica candida cum linea toga sub nigro pallio. Tegumentum a scapulis impositum cervicem totumque contegit caput'.

215. Thesaurarii filios] Matthias and Mark Lauweryn, sons of the Archduke Philip's Treasurer ; who were studying at Bologna in 1507. Mark afterwards became an intimate friend of Erasmus. 218. Julius II was Pope, 1503-13.

228. *admonitus sum* is followed here first by a statement and then by a piece of advice.

251. apud monachas aliquas] Convents of nuns require a resident priest to conduct their services. These posts, the work of which was light, were usually given to monks advanced in years. Servatius himself in later life retired in this way to a convent of Augustinian nuns near Leiden.

253. nihil moror] The technical formula of dismissal, either of persons receiving an audience, or of an accused person when the charge against him is withdrawn. Then, by transference, 'I do not detain to make inquiries about,' 'I do not care about.'

268. Pascha] Easter, 16 April 1514. In calculating dates the Romans reckoned inclusively, so that the *tertius dies* is Tuesday.

XVII

[An extract from a letter written in September 1514. On his way to Basel Erasmus passed through Strasburg, where he was welcomed with enthusiasm, especially by the Literary Society, of which James Wimpfeling, a native of Schlett-stadt, was head. After his departure the Society, through Wimpfeling, wrote him a formal letter of welcome into Germany, to which this letter is the reply.]

6. **cantharos**] casks.

8. John Sapidus (a Latinized form of Witz) was headmaster of the Latin school at Schlettstadt, which was one of the most important in South Germany.

15. Beatus Rhenanus (1485-1547) became a most faithful friend to Erasmus, working as his coadjutor in many of his publications.

44, 5. **de eodem . . . oleo**] A proverbial phrase for an un-interrupted effort. For the combination cf. *oleum et operam perdere*, to lose time (literally, light) and trouble.

46. *liceat* represents a slight change of mental attitude as to the condition being fulfilled.

62. **circumferunt, &c.**] The subjunctive would be more usual.

XVIII

[A letter written in 1516 at the close of a visit to England, when Erasmus was preparing to settle in the Netherlands. Reuchlin, to whom it is addressed, was the first Hebrew scholar in Europe at this time. The testimony in the final paragraph to the progress of learning in England is valuable, inasmuch as it is not written to an Englishman.]

3. **Roffensis**] John Fisher (c. 1459-1535) had been a constant patron to Erasmus. He had been confessor to the Lady Margaret Tudor, mother of Henry VII; and through his influence she had used her wealth to endow learning, founding Professorships of Divinity at Oxford and Cambridge, and two colleges—Christ's in 1506 and St. John's which was opened in 1516—at Cambridge. Fisher became Bishop of Rochester and Chancellor of Cambridge in 1504, and was President of Queens' College, Cambridge, 1505-8.

7. **pro mea virili**] *sc.* parte.

12. **venantur**] It was evidently considered quite decorous for a bishop to hunt. Warham's abstinence from the chase,

which is commended in XXII and XXIII, was clearly exceptional.

28. calamorum Niloticorum] pens made from the reeds that grow on the banks of the Nile. Reed-pens from Cyprus were also in demand at this time.

30. possis] *Si . . . sunt* is not the protasis.

38. ad meam epistolam] in which Erasmus asked permission to dedicate his edition of Jerome to the Pope. It was dated 21 May 1515 from London; and Leo's reply 10 July 1515 from Rome.

44. uterque Cardinalis] Grimani and another, to whom Erasmus had written on the same subject.

46. Pace (c. 1482–1536), a scholar and diplomatist, who succeeded Colet as Dean of St. Paul's in 1519, and was now ambassador (*oratorem gerere*).

49. et Hieronymum] as well as the New Testament. Jerome was dedicated to Warham.

51. Carolus] The young prince Charles, who afterwards succeeded his grandfather Ferdinand as king of Spain in 1517, and his grandfather Maximilian as the Emperor Charles **v** in 1519. He was now governing the Netherlands.

praebendam] A canonry at Courtray.

55. Archiepiscopus] Warham.

57. omnia sua] Cf. XXIII. 24.

70. Philippum] Probably Melanchthon (1497–1560), who was Reuchlin's great-nephew. Erasmus evidently wished that he should be sent to St. John's.

XIX

[This letter, written to a familiar friend at Basel, describes Erasmus' journey down the Rhine to the Netherlands in September 1518; after a few months' residence in Basel, during which a beginning had been made with the second edition of the New Testament.]

5. distentus] from *distineo*.

10. illi] *sc.* caupones.

13. Gallinarius was the parish-priest of Breisach and an old friend of Erasmus.

15. Minoritam] A name for a Franciscan; formed from the humble style adopted by the Order, 'Fratres Minores.'

17. Scoticam] worthy of Scotus; cf. XXIV. 27 n.

22. horam . . . decimam] Erasmus is here using the modern, and not the Roman reckoning; for which cf. IX. 217 n.

23. ad illorum clepsydras] *sc.* usque ad multam noctem: not being allowed to rise from table, to go to bed.

30. sodalitatis] The Literary Society over which Wimpfeling presided. Cf. XVII introduction.

35. Anglus equus] A horse given him by an English friend.

39. Maternus Hatten was precentor of the cathedral at Spires.

45. Caesaris] The Emperor Maximilian.

53. professus est] taught, was professor.

71. praefectus] Cf. XVI. 251 n.

73. officialis] legal adviser, chancellor.

83. die Dominico] Sunday : Ital. Domani, Fr. Dimanche.

91. Comitem Novae aquilae] Hermann, Count of Neuenahr (Germ. Aar, a poetical name for an eagle).

99. Homerus] *Il.* 3. 214.

107. toties offert] Cf. XVI. 135–6.

123. Hesiodus] I have not been able to find this phrase in Hesiod. Erasmus is perhaps unconsciously contaminating *Sc.* 149 with Hom. *Od.* 17. 322–3.

130. quantus, &c.] Hor. *Epod.* 10. 7, 8.

148. periodus] ' a round '; apparently the canons dined with one another in turn.

193. vel manu contacta] 'with a mere touch of my hand.'

211. cubiculum] Erasmus had a room in the Collège du Lis at Louvain.　226. Hebraeum] A Jewish physician.

268. Laurinus] Cf. XVI. 215 n.

291. poetae] Cf. Hor. *C.* 3. 24. 31–2.

XX

[A letter to Erasmus' old friend and patron.]

10. Wintoniensem] Richard Foxe (c. 1448–1528), a powerful statesman and ecclesiastic. He founded Corpus Christi College at Oxford in 1516 to be the home of the Renaissance.

13. Eboracensis] In 1518 Wolsey, who was now Archbishop of York and Cardinal, founded six public Lectureships in Oxford, Theology, Humanity, Rhetoric and Canon Law being among the subjects on which lectures were provided.

14. schola] the University.

18. Roffensi] Cf. XVIII. 3 n.

28. tuae celsitudini] as we should say, ' your Lordship.'

32. **conflictandum**] in repelling attacks made on his edition of the New Testament.

34. **Homerica**] Cf. *Il*. 1. 194 seq.

XXI

[An account of an explosion of gunpowder which took place in Basel in Sept. 1526. The correspondent to whom the letter is addressed was Principal of Busleiden's Collegium trilingue at Louvain.]

1. **Africa**] An allusion to the proverb, 'Semper Africa novi aliquid apportat.' Erasmus' Africa here is the city of Basel, where religious innovations were already beginning.

21. **gigantum moles**] When they tried to scale the heights of heaven by piling Mt. Pelion on Mt. Ossa.

22. Salmoneus was a presumptuous Thessalian who in vented thunder and lightning of his own, and was killed by Jupiter as a punishment.

Ixion was the king of the Lapithae who was bound upon an ever-revolving wheel as punishment for having affronted Juno.

26. **Florentiae**] When the bellicose Pope Julius II was attacking Bologna in the autumn of 1506, Erasmus took refuge at Florence.

28. **tonabat**] Impersonal.

58. **pulveris bombardici**] 'gunpowder.'

62, 3. **rimas . . . speculatorias**] 'loopholes.'

65. **esset oneri ferendo**] Dative of Purpose ; cf. solvendo esse, to be solvent.

80. **lateris**] *sc.* turris.

107. **medium unguem**] The middle finger was regarded as ' the finger of scorn '.

111. **Corybantes**] The priests of Cybele, the mother of the gods, whose worship was conducted with a great noise of musical instruments.

114. **nostra tympana**] This playful protest indicates that there was a growing fashion of celebrating festive occasions with a din of drums and trumpets. It doubtless embodies also the dislike of the scholar for anything that disturbed his quiet.

anapaestis] The rataplan and rat-tat of the drum are compared to the metric feet, the anapaest ($\cup\cup-$) and the pyrrhic ($\cup\cup$).

121. **celebritas**] abstract for concrete.

130. **tonitrui**] This form occurs in the Vulgate ; but in classical Latin the singular follows the fourth declension.

XXII

[This and the following extract are to some extent co-incident, but each contributes something to the picture of Warham which the other has not. Both were written in 1533, shortly after Warham's death, XXII in the first book of the *Ecclesiastes* (see p. 15), which was begun some time before it was published ; XXIII as a new preface for an edition of Jerome which was being printed in Paris.

William Warham (c. 1450-1532) was an eminent lawyer before he received ecclesiastical preferment. He was Master of the Rolls 1494–1502, Bishop of London 1501, Archbishop of Canterbury 1503, Lord Chancellor of England 1504-15, and Chancellor of Oxford University from 1506 until his death. In the severance of the English Church from Rome he was an unwilling agent to Henry VIII.]

8. **iuris utriusque**] The two branches of law, civil and canon (or church).

34. **venatui**] Cf. XVIII. 12 n.   48. **A cenis**] See p. 157.

66. **ibi**] in England.

79, 80. **fuit . . . est**] The subjunctive would be grammatically regular, but in both cases the indicative is used to express a fact independent of any condition.

82. **esset**] The subjunctive expresses the ground of the refusal.

84. **praestare**] Cf. l. 100 and *oratorem gerere*, XVIII. 47.

93. **cui resignaram**] John Thornton, Suffragan Bishop of Dover, who was appointed to succeed Erasmus on 31 July 1512.   Cf. XVI. 145 n.

94. **a suffragiis**] A suffragan. This form was common in late Latin for the designation of an office ; cf. ab epistolis, a secretary ; a libellis, a notary ; a cubiculis, a poculis.

95. **iuvenem**] Richard Masters, appointed in Nov. 1514. He was afterwards involved in the affair of the 'Holy Maid of Kent' and was deprived in 1534.

101. **metropolitanus**] The title of an archbishop as head of an ecclesiastical province. All the bishops in his province are suffragans to him.

XXIII

5. **concinnatus**] i. e. compositus.

16. **chartis**] 'playing-cards.' An Act of 1463 forbade the importation of them into England ; Foxe's statutes for C. C. C. Oxford (XX. 10 n.), dated 1517, prohibit the use 'chartarum pictarum (*cardas* nuncupant) '.

24. communionem] Cf. XVIII. 57–8.

32. pro more regionis] The following extracts from Erasmus' writings show the reputation of the English at this time in the matter of entertainment : 'Angli ostentatores': 'miramur si quis videat frugalem Anglum': 'asscribo Anglis lautas mensas et formam.'

33. vulgaribus] *sc.* cibis.

38. holosericis] *sc.* vestibus. Similarly *byssinis ac damascenis*, l. 44.

40. conventum] This took place in July 1520, shortly after Henry's meeting with Francis I at Ardres, known as the 'Field of the Cloth of Gold'.

41. undecim] Erasmus' memory for dates was uncertain.

42. Eboracensis] Wolsey.

XXIV

[A letter written in 1521 from Anderlecht, a suburb of Brussels, to Jodocus Jonas, a member of the University of Erfurt, and afterwards one of the followers of Luther. Jonas had asked for a sketch of the life of Colet, who had died on 16 Sept. 1519; and Erasmus in reply sent this letter, to convey some impression of the man to whom he felt himself to owe so much. With it he coupled a slighter sketch of another friend, also dead, in whose character he traced much the same features as he had admired in Colet. Very little is known of Vitrarius beyond the information contained in this letter; without which our knowledge of Colet and also of Henry VIII—the 'divine young king', as he was often called in these early years—would not be so full as it is.]

2. paucis] *sc.* verbis.

17. ordinis Franciscani] The order of friars founded by St. Francis of Assisi (1182–1226).

18. adolescens inciderat] Here and in l. 38 Erasmus is clearly thinking of the circumstances under which he himself had embraced the monastic life (see p. 8). His strong bias against monasticism, which is very evident throughout this piece, often makes him unjust in his representations of it.

27. Scoticas argutias] An unflattering allusion to the philosophy of John Duns Scotus (the Scot), who was one of the leaders of mediaeval thought ; *fl.* 1300.

30. Ambrose, Bishop of Milan (†397) was—with Jerome, Leo, and Gregory—one of the four great Doctors of the Latin Church. Cyprian (†257) was also one of the Latin Fathers.

50. offendiculo] Cf. 1 Cor. 8. 9.

55. ungues] Cf. Juv. 7. 232.

56. Dedisses] A conditional clause ; the condition being expressed by placing the verb first, without *si*. Cf. Verg. *Aen.* 6. 31 ' Partem opere in tanto, sineret dolor, Icare, haberes ' ; or in English such forms as ' Give him an inch, he will take an ell '.

68. dividebat] Mr. Lupton, who has edited this letter, gives an example of this chilling method of division and subdivision, from a sermon on the Son of the Widow of Nain. 'Death is first divided into (1) the natural, (2) the sinful, (3) the spiritual, (4) the eternal. Of these 1 is further classified as (*a*) general, (*b*) dreadful, (*c*) fearful, (*d*) terrible. 2 is next compared to 1 in respect of four common instruments of natural death, that is to say, (*e*) the sword, (*f*) fire, (*g*) missiles, (*h*) water ; and so on, to the end. This is no exaggerated specimen.'

81. Thomas of Aquino (1225-1274) was, like Duns Scotus, one of the leading mediaeval philosophers.

Durandus (c. 1230-1296) was a French writer on canon law and liturgical questions.

iuris utriusque] Cf. XXII. 8 n.

83. centones] *cento* is lit. a patchwork, such as a quilt. The term was then applied to a kind of composition which came into fashion in later classical times and was very popular in the Middle Ages.   It was made by stringing together detached lines and parts of lines from an author into a complete whole with a definite subject.   Such centos were often made from Vergil and on Christian themes ; but the term is probably used here for collections of texts from the Bible or the Fathers.

118. Ghisbertus was town-physician of St. Omer and a friend of Erasmus.

119. utriusque scholae] ' of each party, or class.'

122. virtutes] The Vulgate word, which in the English Bible is regularly translated ' mighty works '.

143. sodali] As a safeguard against scandal the Franciscan rule prescribed that no brother should go outside the monastery without another brother as companion.

152. hilari datore] Cf. 2 Cor. 9. 7.

154. Antony of Bergen, Abbot of St. Bertin's at St. Omer,

was brother of the Bishop of Cambray, Henry of Bergen, to whom Erasmus had been secretary on leaving Steyn. This incident occurred in 1502, the only year in which Erasmus was at St. Bertin's in Lent.

157. **quadragesimae**] Lent, the first day of which was roughly the fortieth before Easter. Cf. Septuagesima, Sexagesima, and Quinquagesima Sundays; where the calculation is again only approximate.

163. **omitteres**] *Si* must be understood from *nisi faceres*.

165. **Iubilaeo**] The faithful were encouraged to make pilgrimage to Rome in years of Jubilee, those that did so receiving the Jubilee Indulgence. The offerings made in return for these became so fruitful a source of revenue that successive Popes were tempted to reduce the interval at which Jubilees recurred from a hundred years to fifty, then to thirty-three, and finally Paul II (1464-1471) to twenty-five. Erasmus' statement may be an incorrect attribution to Alexander VI (1493–1503) of the action of Paul II in halving the period of fifty years ; or it may be an allusion to the custom of celebrating the Jubilee outside Rome in the second year. In any case the Jubilee of 1500 is referred to here. The practice also grew up of selling the Jubilee Indulgence away from Rome ; and bishops used to purchase the rights in their own dioceses for a fixed sum, afterwards reimbursing themselves by collecting what they could through their own agents.

169. **sortem**] principal ; the sum given by the bishop for the right to sell indulgences.

182. **Simoniaci**] Cf. Acts 8. 18 seq. The sin of selling spiritual privileges was called simony.

188. **affixa est**] to the doors of the principal church, or to some equally public place.

195. **Episcopum Morinensem**] The Bishop of Terouenne, whose title, *Morinensis*, was derived from the coincidence of his diocese with the territory of the Morini in classical times.

199. **auri sacra fames**] Cf. Verg. *Aen.* 3. 56, 7.

201. **collegerant**] *sc.* accusatores.

222. **thynnum**] a tunny-fish caught in their nets, i. e. a rich person from whom gifts might be extracted.

231. **Guardianum**] Warden ; the regular title of the head of a Franciscan community.

244. **hunc**] The new warden ; *qui cupiebant* being his former companions.

246. **subolesceret**] 'grew up'; i. e. came to be.

249. **virginum**] Cf. XVI. 251 n.

261. **gemmeum**] Probably an allusion to the resemblance between *Vitrarius* and *Vitrum*. The vernacular form of his name is not known. Mr. Lupton conjectures Vitrier; or perhaps it was Vitré.

269. **Stoicum**] used to denote a morose fellow. The Stoics were a school of Greek philosophers, founded by Zeno in the third century B. C. They practised great austerity of life.

275. **pater**] Sir Henry Colet, Kt., was Lord Mayor of London in 1486 and again in 1495.

285. **scholasticae**] of the 'schoolmen', Scotus, Aquinas, &c., who taught philosophy in the mediaeval universities.

287. **septem artium**] A course of education introduced in the sixth century. It was divided into the *trivium*, grammar, logic, and rhetoric ; and the *quadrivium*, arithmetic, geometry, music, and astronomy.

290. Plotinus (†262 A. D.) was the Founder of Neo-Platonism ; which he taught in Rome.

296. **Dionysio**] The reference here is to some philosophical writings, which in the Middle Ages were regarded as the work of Dionysius the Areopagite, who is mentioned in Acts 17. 34 as a pupil of St. Paul. They are now attributed to an unknown writer in the fifth century A.D.

303. Dante (1265–1321) and Petrarch (1304–1374) are evidently mentioned here as masters of Italian poetry, not for their work as forerunners of the Renaissance. Mr. Lupton conjectures with probability that Gower (c. 1325–1408) and Chaucer (c. 1340–1400) are the English poets intended.

309. **enarravit**] 'lectured on'.

316. **codicibus**] manuscripts or printed copies of the Epistles to refer to.

319. **doctoris titulus**] Cf. X. 23 n.

324. **collegio**] Chapter.

337. **symbolum fidei**] the Creed.

366. Erasmus describes a visit with Colet to Canterbury in the *Peregrinatio religionis ergo*, one of the *Colloquia*.

383. St. Paul's School was founded in 1510–1.

389. **Primus ingressus**] The portion of the room first entered.

catechumenos] A Greek word denoting candidates for admission to the Christian religion, who were undergoing instruction before baptism : here, pupils just entered.

399. **rem divinam**] Divine service, with the mass; cf. ll. 551 seq.

437. **paradoxis**] 'unusual.'

438. **procellis**] Cf. ll. 597 seq.

449. **puero**] Probably here 'a servant'.

459, 60. **sumpto . . . pusillo**] This substantival use of a neuter adjective is confined in classical Latin to the nominative and accusative cases.

474. **alteram . . . partem**] *sc.* epistolae; i. e. the sketch of Colet.

489. **hunc**] The person intended here must be not Scotus but Aquinas, who is the author of the *Catena Aurea*, a continuous commentary on the Gospels. This violation of the ordinary rule that *hic* refers to the nearer of two persons mentioned is necessitated by the appropriation of *ille* to Colet.

493. **affectuum**] Mr. Lupton translates 'unction'.

511. **decidit**] 'settled,' 'left.'

516. **apud Italos**] Mr. Seebohm, *Oxford Reformers*, 3rd ed. p. 22, conjectures that these Italian monks may have been Savonarola and his companions.

519. **Germanos**] Mr. Lupton conjectures that the Order of the Brethren of the Common Life, founded at Deventer by Gerard Groot in 1384, may be here intended. If this is correct, there is significance in the use of *residerent*, marking Colet's opinion, instead of *resident*, which would make the statement Erasmus' own: for Erasmus had been for two years at a school kept by the Brethren in Hertogenbosch and had not a high opinion of them.

542. **Collegia**] Colet's censure of the colleges in the English universities must apply to the older institutions founded before the Renaissance. Erasmus is probably recalling here some utterance of the days before the foundation of Christ's (1506) and St. John's (1516) at Cambridge, and Corpus Christi (1516) at Oxford.

544. **scholis publicis**] Mr. Lupton rightly interprets this of the 'schools' at the universities, in which public lectures were given; and shows that as the lecturer had to hire the 'school' for his lecture, the competition for fees would necessarily be keen. Cf. also l. 576. The term is also used at this period for a school maintained publicly by a town.

548. **ut confessionem**] Cf. ll. 133 seq.

563. **ansis omnibus**] Like a vessel made with handles on all sides, i. e. more than are necessary: 'at all points.'

570, 1. ad terniones] into groups of three, in a *Breviloquium dictorum Christi.* Mr. Lupton instances the three words to Mary Magdalene in John 20. 15-7.   Cf. also 1. 619.

574. cultum ecclesiasticum] public celebration of Divine Service.

598. Episcopo] Rich. Fitzjames, Bp. of London, 1506-22.

605. collegii] The canons and other ecclesiastical officers together constituted St. Paul's a 'collegiate church'.

606. quiritabantur] 'lamented.' The verb is commonly active ; but the deponent form is cited by a grammarian from Varro.

608. orientale monasterium] Mr. Lupton shows that St. Paul's was in old times a monastery ; and suggests that Erasmus, whose information probably came from Colet, was thinking of a king of the East Saxons, who took the religious habit there. The name Eastminster seems, however, to have been applied not to St. Paul's, but to an abbey near the Tower.

615. Cantuariensem] Warham ; see XXII and XXIII.

619. illud ex Evangelio] John 21. 15-7.

635. pacem] Cf. Cic. *Fam.* 6. 6. 5.

636. Id ... temporis] This attack on Colet may be dated in Lent of either 1512 or 1513 ; for in each year preparations were being made for a war with France. It is not clear what interval of time is meant by Erasmus to have elapsed between this and the attack mentioned in ll. 655 seq. about Easter 1513.

637. Minoritae duo] Edmund Birkhead, Bishop of St. Asaph 15 April 1513-†April 1518)—cf. 1. 687—and Henry Standish who succeeded him in the see.

639. in poetas] because Colet allowed classical Latin poetry to be read in his new school. The Church had always discouraged the study of the poets of antiquity, on the ground of the immoral character of many of their writings.

656. Pascha] Easter, 27 March 1513. This incident can only be placed in 1513 : because the expedition of 1512 started in the summer.

657. Parasceves] Good Friday : Gk. Παρασκευή, the day of preparation before the sabbath of the Passover.

666. consisteret] *consistere* means 'to take a stand with a person ', 'to agree.' This impersonal use is not classical.

669. Iulios] As Mr. Lupton points out, there can hardly fail to be an allusion here, not only to Julius Caesar, but also to the warlike Pope Julius II (1503-1513) ; whom

Erasmus had seen entering Bologna as a conqueror in 1506 (cf. XXI. 26 n.). Similarly the name Alexander suggests not only 'the great Emathian conqueror', but Pope Alexander VI (l. 165 n.).

672. **velut ad bubonem**] *sc.* aves. Owls are frequently teased by flocks of small birds.

696. **praebibit**] A compliment in days when poisoned cups were not unknown.

703. **lupi . . . hiantes**] 'Dicebatur si quis re multum sperata multumque appetita frustratus discederet. Aiunt enim lupum praedae inhiantem rictu late diducto accurrere: qua si frustretur, obambulare hiantem.' Erasmus, *Adagia.*

715. **in eo genere**] As a friar.

723. **in canonem**] into the catalogue of martyrs and saints, i. e. to canonize.

XXV

[An anecdote of Colet related in a letter written in 1523 to give a sketch of a friend lately dead. The date of the incident is uncertain; but Erasmus' description of himself in l. 22 as 'hominem infelicissimum' points rather to the year 1506, when he was still struggling and had not as yet obtained the leisure he desired for his studies.]

4. **de lana caprina**] Cf. Hor. *Ep.* 1. 18. 15, 6 :

> Alter rixatur de lana saepe caprina,
> Propugnat nugis armatus.

'a ⟨tali⟩ eventu natum apparet, contentiose decertantibus duobus utrum lanas haberet caper an setas.' Erasmus, *Adagia.*

de asini . . . umbra] ' de re nihili.' Erasmus, *Adagia.*

7. **Guilhelmum**] Warham; see XXII and XXIII.

9. **Enchiridio**] Cf. X. 54 n.

XXVI

[A sketch of Thomas More, sent in reply to a request from Ulrich von Hutten, the celebrated German knight; written in 1519.

Thomas More (1477 or 1478-1535) was the son of Sir John More (c. 1453-1530), knight, and afterwards Judge of the King's Bench. He was a friend of Erasmus' earliest months in England (see V). Henry VIII attached him to his court and sent him on many embassies, and he after-

wards filled numerous offices; being Under-sheriff of London,
Privy Councillor, Treasurer of the Exchequer, Speaker of
the House of Commons, and in 1529 Lord Chancellor in
succession to Wolsey. This office he resigned in 1532,
feeling himself in opposition to Henry's ecclesiastical
policy; and this opposition cost him his life.
He married in 1505 Jane Colt; and shortly after her
death, probably in 1511, Alice Middleton.]

29. **Apelles** was a Greek painter of the fourth century B. C.
Alexander the Great thought so highly of him that he would
allow no one else to paint his portrait.

30. **Fulvii Rutubaeque**] The names of gladiators (cf.
Hor. *Sat.* 2. 7. 96); who are taken here as types of the
unskilled.

35. **legatio**] i. e. if either More or Hutten should be sent
on an embassy, which would bring them together.

66. **Ovidius**] *A. A.* 1. 509 seqq.

67, 8. **e culmo**] 'e culmo perspicitur spica demessa: etiam
in sene apparet cuiusmodi fuerit iuvenis.' Erasmus, *Adagia.*

81. **mos**] The custom of the loving-cup.

120. **Hesiodo**] *Op.* 713 :

Μηδὲ πολύξεινον μηδ' ἄξεινον καλέεσθαι.

141. 'Though he was young of years, yet would he at
Christmastide suddenly sometimes step in among the
players, and, never studying for the matter, make a part
of his own there presently among them, which made the
lookers-on more sport than all the players beside.' *Life of
More*, by W. Roper, his son-in-law.

145. **Morias Encomium**] The Praise of Folly ; see p. 11.

146. **camelus saltarem**] 'Ubi quis indecore quippiam
facere conatur, camelum saltare dicebant: veluti si quis
natura severus ac tetricus affectet elegans ac festivus videri,
naturae genioque suo vim faciens.' Erasmus, *Adagia.*

154. Democritus of Abdera (c. 460–361), 'the laughing
philosopher,' who is famed for having maintained his cheer-
fulness in spite of being blind.

182. **absolvi**] to be finished, fully trained.

191. Augustine (†430), Bishop of Hippo, was one of the
Latin Fathers of the Church.

192. **professus est**] 'lectured on.'

209. **puellae tres**] *tres* is a correction, made in 1521,
when this letter was printed a second time, for *quatuor*,
which was doubtless a mistake. The names of the children
are not added till 1529, in a third edition. Margaret

(1505–1544) married about 1520 William Roper, who wrote a Life of More. She was her father's favourite and friend, the ties between them being very close. She corresponded in Latin with Erasmus ; and one of her letters to him is extant.

The other children, born in 1506, 1507, and 1509, were less distinguished. The name of Aloysia is usually given as Elizabeth. Erasmus perhaps made a confusion with the name of More's second wife.

218. **severitudine**] ante- and post-classical for *severitate.*

222. **rem**] 'household business.'

233. **pater iam alteram**] This passage implies that Sir John More was already married to his third wife ; and in the edition of 1521 Erasmus speaks of a 'tertia noverca'. Only three wives are mentioned in the *Dict. of National Biography.* Erasmus is perhaps in error.

240. **advocationibus**] 'his practice as a barrister.'

250. **die Iovis**] Thursday ; Fr. Jeudi.

255. **drachmas**] shillings.

261. **legationem**] On one of these, in 1515, he wrote the *Utopia* (l. 312).

276, 7. **Felices res publicas**] An exclamatory accusative.

294. **exprobrat**] *sc.* beneficium ; i. e. casts up against a man a benefit conferred.

308. **communitatem**] 'communism.'

310. **antagonistam**] Erasmus accepted this challenge ; and both wrote declamations in reply to Lucian.

312. The *Utopia* (i. e. Nowhere, Gk. οὐ τόπος, sometimes called *Nusquama*) is a description, written in Latin, of an ideal commonwealth; in which More develops a number of very novel political ideas. The first book, which was written last, deals with the condition of England in his day ; the description of Utopia occupying the second.

322. **in numerato**] 'in readiness.'

344. **torquatis**] an epithet regularly used by Erasmus for the inhabitants of courts with their chains of office (torques) round their necks ; cf. XVII. 61–2.

Midas was a king of Phrygia renowned for his riches.

345. **officiis**] officials. This concrete use is late Latin.

348, 9. **aliam aulam**] Hutten had written a satire entitled *Aula.* He was now living in the household of Albert of Brandenburg, Archbishop of Mainz.

353. **Stocschleii**] John Stokesley (c. 1475–1539), ecclesiastic and diplomatist. He was now chaplain to the king,

and in 1530 was made Bishop of London in succession to
Tunstall.

354. Clerici] John Clerk (†1541), ecclesiastic and diplomatist. He was now chaplain to Wolsey ; and subsequently
became Dean of Windsor and in 1523 Bp. of Bath and Wells.

XXVII

[An extract from the *Adagia*, no. 796.   The Dutch physician
referred to is perhaps a Dr. Bont whom Erasmus knew at Cambridge in 1511 and who died there of the plague in 1513.]

9, 10. Quid multis] Cf. IX. 219 n.

10. Germano] Their standards of honesty were then high,
and they were in consequence apt to be imposed upon.
England on the contrary was already 'perfide Albion'; as
Erasmus writes in a letter of 1521, 'Britannia vulgo male
audit, quoties de fide agitur'.

24. *tuissare*: to address as 'thou'. Cf. Fr. tutoyer,
Germ. dutzen.

33. quae nulla] a condensed expression equivalent to
quae, quamvis maxima, non tamen.

XXVIII

[A letter written to John Francis, physician to Wolsey,
and one of the promoters of the College of Physicians in
1518. The date of the letter is uncertain.]

3. sudore letali] The sweating-sickness. Ammonius (see
XV introd.) fell a victim to it in 1517.

8. habent] *sc.* Angli.

10. Claudius Galenus (130–200) was a Greek physician,
who practised at Rome in the reign of Marcus Aurelius.

13. colatam] a medical technical term (cf. XXIX. 10) ; lit.
'filtered'. So here 'fine draughts' of air coming in round
the small window panes. Erasmus' idea seems to have been
that when the winds were blowing, the air would be fresh
and the windows should be opened ; but that when the air
was still, it was likely to be unwholesome and should be
kept out.

24. salsamentis] Much of the leprosy which was prevalent
at the time has been ascribed to the consumption of salt
fish.

35. Conferret] 'It would be useful' ; cf. *conducere.*

40. otium meum] 'at my spending my time in this way.'

XXIX

[This extract from a letter written to Fisher in 1524 contributes something to the description of English houses given in XXVIII. Erasmus had sent one of his servants to England earlier in the summer, with letters announcing that he was composing a book against Luther—as his friends had frequently urged him to do.]

6. **Mare**] Erasmus had visited Fisher at Rochester in 1516 and clearly had vivid recollections of the mud-flats of the Medway.

9. **parietibus vitreis**] i. e, with continuous windows, as in the stern galleries of old sailing ships.

ADDITIONAL NOTES.

P. 23. IV. 13. **Est praeterea mos**] The reality of this practice in England may be illustrated from Erasmus' *Christiani matrimonii Institutio*, 1526, where he describes unseemly wedding festivities. 'Mox a prandio lascivae saltationes usque ad cenam, in quibus tenera puella non potest cuiquam recusare, sed patet domus civitati. Cogitur ibi misera virgo cum ebriis, cum scelerosis . . . iungere dextram, apud Britannos etiam oscula'. The Lady of Créqui, between Amiens and Montdidier, welcoming Wolsey's gentleman, George Cavendish, in July 1527, said: 'Forasmuch as ye be an Englishman, whose custom is in your country to kiss all ladies and gentlewomen without offence, and although it be not so here in this realm, yet will I be so bold to kiss you, and so shall all my maidens'. So, too, Cavendish writes of Wolsey's meeting with the Countess of Shrewsbury at Sheffield Park, after his fall: 'Whom my lord kissed bareheaded, and all her gentlewomen.'

P. 85, XXII. 48, **A cenis**] Cf. XXIII. 34–5, XXIV. 342. It was a recognized form of abstinence, to take no food after the midday *prandium*. In the colloquy *Ichthyophagia*, first printed in Feb. 1526, Erasmus states that in England supper was prohibited by custom on alternate days in Lent and on Fridays throughout the year (cf. IX. 96). Of the Emperor Ferdinand, when he visited Nuremberg in 1540, an observer wrote, 'Sobrius rex cena abstinuit'; and Busbecq records that it was his master's practice to work in the afternoon, 'donec cenae tempus sit—cenae, dico, non suae sed consiliariorum; nam ipse perpetuo cena abstinet, neque amplius quam semel die cibum sumit, et quidem parce'.

VOCABULARY

abbas, an abbot.
accubitus, a reclining (at meals).
adamussim, precisely (amussis, a carpenter's rule).
adlubesco, to be pleasing to.
agricolatio, agriculture.
amarulentus, bitter.
anathema, curse of excommunication.
annotamentum, a note.
annoto, to jot down.
antistes, a prelate ; a master.
archidiaconus, an archdeacon.
archiepiscopus, an archbishop.
attempero, to fit, adjust.
avocamentum, a diversion, relaxation.
benedicus, speaking friendly words.
Breve, a Papal letter, Brief.
byssinus, made of linen.
caecutientia, blindness.
canonicus, a canon, of a cathedral, secular ; of a monastery, regular.
cantor, a precentor.
capitulum, a chapter (of a cathedral).
carbunculus, a carbuncle.
carpa, a carp.
cauletum, a cabbage-garden.
cauponaria, a female innkeeper.
cerevisia, cervisia, beer.
cervisiarius, made of beer.
chalcographus, a printer.
chirotheca, a gauntlet.
chirurgus, a surgeon.
cinericius, similar to ashes.
collaudo, to praise highly.
colluctor, to contend with.

colo, to strain, filter.
comes, a count, an earl.
commissarius, an agent.
concinno, to arrange.
confabulo, a companion.
confoveo, to warm, cherish.
consarcino, to stitch together.
consilesco, to keep silence.
conspurcatus, polluted.
contionor, to preach.
cucullus, a cowl.
damascenus, made of damask.
decanus, a dean.
delineare, to sketch out.
derodo, to gnaw away.
diaconus, a deacon.
diatriba, a school.
dicterium, a witticism.
dissuo, to unstitch, sever.
ecclesia, a church.
elucesco, to shine forth.
emaculatus, clear from faults, corrected.
episcopus, a bishop.
esus, an eating.
excudo, to print.
exoticus, foreign.
febricito, to be ill of a fever.
fermento, to leaven.
flatilis, produced by blowing.
flavor, yellowness.
formulae, type.
glaucoma, a mist before the eyes.
Graecanicus, of Greek origin, Greek.
Graecitas, the Greek language.
haereticus, a heretic.
hebdomada, a week.
holosericus, made entirely of silk.
hortensis, belonging to a garden.

hypocaustum, a room heated from below with a stove.

hypodiaconus, a subdeacon.

hypodidascalus, an under-master.

iactio, a throwing.

illecto, to entice, attract.

impos, without control over.

incenatus, without having supped.

incontanter, without hesitating.

inquinamentum, a defilement.

interula, an inner garment.

invitabulum, a place that invites.

lactarium, milk food.

libripens, a man in charge of scales.

locator, a jobmaster.

longaevitas, long life.

lusito, to play, sport.

mactator, a slaughterer.

magnas, a great man, magnate.

malagma, a poultice.

monachus, a monk.

monochordon, a musical instrument with one string.

mordacitas, biting sarcasm.

moriones, jesters.

multiloquus, talkative.

nola, a bell.

nubilosus, cloudy, foggy.

oboleo, to give forth a smell, betray oneself by smell.

oeconomus, a steward.

opiparus, sumptuous.

panoplia, an equipment.

pellicius, made of skins or furs.

petaso, pestle or shoulder of pork.

philargyria, love of money.

pontifex, a pope.

praesul, a dignitary of the Church.

presbyter, a priest.

pridianus, of the day before.

progymnasma, an exercise.

prosus, straightforward (of style), i. e. prose.

protritus, common.

pulsatilis, produced by beating.

redormisco, to fall asleep again.

rhetoria, a trick of rhetoric.

rosaceus, made from roses.

sacerdotium, a benefice, living.

sacrifico, to celebrate the mass.

sacrificus, a priest.

scholium, a note.

scrupulus, a scruple, fraction of an ounce.

sesquihora, an hour and a half.

soloecus, faulty, uncouth.

sorbitiuncula, a posset.

subcaesius, greyish.

subditicius, spurious.

submurmuro, to murmur softly.

subniger, blackish.

subsanno, to sneer.

sufflavus, yellowish.

suffuror, to steal away.

supposititius, put in the place of another, not genuine.

syncopis, a fainting fit.

syngrapha, a promissory note, document.

tabellio, a messenger.

telones, a customs officer.

telonicus, belonging to a customs officer.

temporalis, connected with the things of this life.

tessella, a pane.

turpiloquium, immodest speech.

typographus, a printer.

vice-praepositus, a vice-provost.

viverra, a ferret.

xenium, a present.

LIST OF PLACE-NAMES

Agrippina, Cologne.
Ambiani, Amiens.
Andrelacum, Anderlecht.
Antuuerpia, Antwerp.
Aquisgranum, Aachen.
Argentina, Argentoratum, Strasburg.
Artesia, Artois.
Basilea, Basel.
Bedburium, Bedburg.
Belna, Beaune.
Bononia, Bologna.
Bonna, Bonn.
Brisacum, Breisach.
Calecium, Calais.
Cantabrigia, Cambridge.
Cantuaria, Canterbury.
Clarus Mons, Clermont.
Colonia (Agrippina), Cologne.
Confluentia, Coblenz.
Curtracum, Courtray.
Divus Trudo, St. Trond.
Eboracum, York.
Friburgum Brisgoiae, Freiburg-in-the-Breisgau.

Grienwikum, Greenwich.
Helvetia, Switzerland.
Hierosolyma, Jerusalem.
Leodium, Liège.
Londinum, Londonium, London.
Lovanium, Louvain.
Lutetia (Parisiorum), Paris.
Maguntia, Mainz.
Mosae Traiectum, Maastricht.
Oxonia, Oxford.
Parisii, Paris.
Popardia, Boppard.
Roffa, Rochester.
Roterodamum, Rotterdam.
Sanctum Audomarum, St. Omer.
Selestadium, Schlettstadt.
Spira, Speyer.
Tenae, Tirlemont.
Tongri, Tongres.
Tornacum, Tournay.
Traiectum, Utrecht.
Venetiae, Venice.
Wormacia, Worms.